# Edad Media

*Una guía fascinante de la Edad Media y la peste negra*

# Índice

# Primer Parte: La Edad Media

*Una Guía fascinante del período de la historia entre la caída del Imperio romano y el Renacimiento*

# Introducción

La Edad Media fue un período interesante de aproximadamente seis siglos que se considera en gran medida perdido en la historia que conocemos. Tras la caída de Roma en el 476 d. C., toda la dinámica de Europa experimentó un cambio total en cuanto al poder y la cultura. Bajo el Imperio romano, Europa no estaba tan cohesionada como la gente suele pensar y ello se debe a que a muchos de sus pueblos sometidos se les permitió mantener sus propias culturas y creencias. Lo importante para los romanos era que los países conquistados de Europa se sometieran a la dominación romana. Mientras la gente que vivía en los lugares en los cuales los romanos asumían el control aceptaba ser gobernada por Roma, su forma de vida solo se veía afectada marginalmente.

Sin embargo, una vez que la ciudad de Roma cayó, las personas que prosperaron en la ciudad huyeron a Constantinopla, la capital del Imperio romano del Este. Aunque su ubicación cambió, su forma de vida se mantuvo en gran medida igual, y Constantinopla se convirtió en el centro de la cultura europea durante los siguientes 1.000 años.

El resto de Europa se sumió en algo que no era del todo un caos, pero que ciertamente no tenía la organización que gran parte del continente había disfrutado bajo el Imperio romano. El Imperio bizantino, también conocido como el Imperio romano del Este, trataría de recuperar áreas de Europa como parte del nuevo Imperio romano, pero fracasaría en gran medida. Sin Roma como centro neurálgico, había un vacío que muchas personas comenzaron a tratar de llenar. Hubo un par de intentos casi exitosos durante la Edad Media para unir a Europa como una entidad única, pero nadie alcanzaría el mismo nivel de éxito que Roma. El intento más famoso de reunir el continente fue bajo el dominio de Carlomagno, pero finalmente fracasó porque no había nadie lo suficientemente fuerte como para controlar las regiones que conquistó. En lugar de unir a todas las regiones, terminó separándose aún más poco después de la muerte de Carlomagno.

Si bien nadie pudo tomar el control del continente bajo una sola bandera nacional o como parte de un imperio, hubo un elemento unificador que se había extendido por todo el continente durante el Imperio romano: la religión. Roma había caído, pero volvería a surgir como el centro de una estructura de creencias que controlaría casi todas las partes del continente. Quizás la gente no podía aceptar un solo rey o nación debido a sus diferencias, pero estaban más que dispuestos a aceptar una sola figura religiosa. La reverencia que la gente sentía por Roma continuó mucho después de la caída de la ciudad, por lo que era un lugar lógico para la sede de la Iglesia cristiana. Con el tiempo, sus líderes nominales que carecían de verdadero poder, perderían de vista lo que era importante, y la corrupción llegaría a manchar la reputación de la Iglesia. En el momento de Chaucer en el siglo XIV, esta corrupción sería uno de los secretos peor guardados. Antes de este período, sin embargo, había mucha buena voluntad y un sincero intento de proporcionar instrucción religiosa. Sin embargo, a finales del siglo X, ese deseo de proporcionar salvación a la población ya había comenzado a deformarse y retorcerse a medida que los líderes nominales comenzaron a buscar poder y control sobre los diferentes países y las vidas seculares de las personas en lugar de buscar los valores enseñados durante los inicios de la Iglesia.

En el año 1000 d. C., varias ciudades y naciones comenzaron a formar y controlar sus respectivas regiones del continente. Muchas de las naciones de hoy tienen sus raíces en este período de tiempo. Naturalmente, cambiarían y se modificarían mucho en los próximos 1.000 años para convertirse en lo que son hoy, pero la Edad Media vio el surgimiento de la mayoría de las principales naciones europeas que eventualmente dejarían su huella en el mundo durante los últimos siglos, hasta el día de hoy. Durante este tiempo, Venecia también subió a una posición de prominencia. Su ubicación como ciudad portuaria la convirtió en un centro para los comerciantes no solo de Europa, sino del Cercano y Lejano Oriente. El poder de Venecia rivalizaba con el de Roma en su apogeo, y continuaría habiendo tensiones entre las dos ciudades durante varios cientos de años.

Quizás una de las culturas más fascinantes que surgió y se desvaneció durante este tiempo fue la de los vikingos. Hoy en día se les conoce a través de dibujos animados, películas, espectáculos arenosos y mitología nórdica. Sin embargo, la realidad de los vikingos fue mucho más variada e intelectual de lo que la mayoría de la gente cree, y su efecto en Europa está entretejido en casi todas las naciones modernas, particularmente las naciones del Reino Unido. Si bien las incursiones y saqueos eran parte de su cultura, esto no era peor ni más bárbaro que lo que hicieron los romanos. Tenían una curiosidad que otros europeos no experimentarían en varios cientos de años.

Esta curiosidad hizo que atravesaran el océano Atlántico y llegaron a conocer a los pueblos nativos de allí. El hecho de que los vikingos se trasladaron, aprendieron y luego se fueron muestra que no eran tan bárbaros como se los retrata. No saquearon ni robaron los dos nuevos continentes como lo harían los europeos "civilizados" hacia el final de la Edad Media y el comienzo de la era moderna.

Pelear era una necesidad para ellos, pero no intentaban dominar y destruir por completo otras tierras y culturas en beneficio de su gente, ya que su curiosidad era mucho más intensa que su codicia. Su feroz reputación probablemente proviene de su éxito y de lo despiadados que podrían ser con sus enemigos o las personas que conquistaron. Teniendo en cuenta que eran personas que no mantenían registros escritos, el hecho de que casi todos conozcan los conceptos básicos sobre ellos muestra cuánto influyó su tiempo en el futuro de Europa.

Se cree que la Edad Media duró aproximadamente 1.000 años, pero a menudo se considera que terminó alrededor de 1000 d. C. En el momento del Renacimiento, la gente ya se había iluminado más, o al menos la historia estaba mejor registrada. Europa había comenzado a tomar forma en lo que eventualmente se convertiría, y la gente estaba más interesada en dejar registros de lo sucedido. Durante la Edad Media, Europa todavía intentaba descubrir qué era y cómo sobreviviría al caos después de la caída de Roma en lugar de centrarse en registrar la historia. Las historias registradas en Constantinopla fueron en gran medida específicas del tiempo anterior a la caída de Roma y el surgimiento del Imperio bizantino. La mayor parte de la historia de Europa occidental se perdió en el tiempo.

# Capítulo 1: El Concepto erróneo de la Edad Media

El significado del término Edad Media puede discutirse en varios niveles diferentes. No hay demasiado consenso cuando tratamos de definir el tiempo que corresponde a este término.

Al acabar este libro, la Edad Media abarcará entre el siglo IV, cuando Roma cayó, hasta principios del siglo XI, cuando algunas de las principales naciones de la Europa moderna comenzaron a tomar forma. Otros etiquetan la Edad Media en el período desde la caída de Roma hasta el siglo XIV. Algunas personas incluso consideran que la Edad Media es el período que se extendió hasta el Renacimiento italiano.

Los historiadores han llamado a la época medieval la Edad Media temprana, que es realmente una descripción más precisa. Hay muchas cosas que los historiadores debaten sobre este momento, y una de las pocas cosas en las que la mayoría de ellos pueden estar de acuerdo es que el término Edad Oscura es realmente un nombre inapropiado. Cuando las personas hablan sobre este momento de la historia, generalmente se centran en los aspectos negativos, en parte porque eso es lo que el término alienta a las personas a pensar. La mayoría de los historiadores ni siquiera usarán el término Edad Oscura porque implica varias connotaciones negativas diferentes, muchas de las cuales son inexactas en el mejor de los casos y perjudiciales en el peor.

Irónicamente, el término Edad Oscura en realidad proviene de Francesco Petrarca, un hombre más conocido hoy como Petrarca. Fue un destacado erudito y poeta durante el siglo XIV (nació en 1304 y murió en 1374). Para este erudito italiano en particular, la literatura y las ideas de la época fueron seriamente degradadas en comparación con la literatura del Imperio romano. Pensó que no había logros literarios importantes que pudieran definir la cultura de la Edad Oscura de la misma manera que lo hicieron los romanos con las obras de los griegos, como la Ilíada y la Odisea. Para él, la Edad Oscura significaba una falta del tipo de cultura que se podía encontrar en Europa occidental antes de que el Imperio romano perdiera el control del continente.

Para las personas que siguen el cristianismo, el término Edad Oscura se aplica debido a la agitación religiosa que abundaba después de la caída del imperio. Comenzaron a formarse dos procesos de pensamiento muy diferentes sobre el cristianismo, y hasta el año1000 d. C., hubo una paz tentativa entre esas dos ideas. A principios del siglo XI, había mucha tensión, pero todavía había una sola iglesia cristiana. Esto no duró mucho más tiempo, pero aún así fue cierto para este tiempo. También había una razón para que las dos ideologías cristianas unieran a los cristianos: la invasión de los musulmanes en Europa occidental. Con un enemigo común, era más fácil dejar de lado diferentes ideologías y unirse bajo una sola religión. Como este era un momento en que las diferencias de las dos ideologías se pasaban por alto y las personas se reconocían mutuamente bajo el paraguas de la misma religión en lugar de centrarse en sus diferencias, oscuro no es el término correcto para describir el período. En todo caso, parece un momento más ilustrado y tolerante, especialmente en comparación con lo que estaba por venir. La Iglesia cristiana se fracturó varias veces después del año 1000 d. C., y, con el tiempo, la tensión inspiraría reacciones más extremas. El Gran Cisma daría como resultado la formación oficial de dos iglesias diferentes, la Iglesia católica romana y la Iglesia ortodoxa griega. Si bien era una gran cicatriz en la religión que se suponía que debía fundarse en la misericordia y la comprensión, al menos no resultó en un gran derramamiento de sangre (al menos no hasta las Cruzadas, que irían terriblemente mal y verían el saqueo de Constantinopla por parte de los romanos católicos). Sin embargo, durante la era moderna temprana, el surgimiento del protestantismo vería derramamiento de sangre en toda Europa occidental con cristianos luchando entre sí por diferencias aún más pequeñas que las que causaron el Gran Cisma. En todo caso, la historia más reciente del cristianismo fue en realidad la edad oscura, ya que el tiempo hasta 1000 d. C. fue mucho más ilustrado.

Algunos también consideran que este período es oscuro porque existe la creencia de que las personas eran más bárbaras. Creen que las personas que deambulaban por Europa eran crueles, matándose entre sí para ganar poder. Si bien esto es verdad hasta cierto punto, es difícil argumentar que fue peor que cualquier cosa que haya sucedido desde entonces. Las guerras durante este tiempo no fueron más horribles que las guerras napoleónicas, y prácticamente tenían las mismas motivaciones. Ciertamente se podría argumentar que las batallas y guerras de esta época fueron en realidad menos bárbaras que los eventos de cualquiera de las dos guerras mundiales.

Sin embargo, hay una percepción que es cierta en este momento, y es su falta de avances tecnológicos. Los inventos e ideas que se extendieron bajo el Imperio romano se perdieron en gran medida. La gente encontró que la supervivencia diaria era difícil, y las estructuras sociales emergentes ciertamente no promovieron el mantenimiento de esa tecnología, y mucho menos la impulsaron hacia adelante. Sin embargo, gran parte de la tecnología que es impresionante hoy en día, como por ejemplo los sistemas de riego romanos, realmente no existía en la mayor parte de Europa occidental, incluso en las partes que estaban bajo el Imperio romano. La vida cotidiana no cambió mucho para la mayoría de las personas. En las ciudades y alrededor de estas, la gente sufrió, pero la mayor parte de Europa no experimentó un gran cambio. Lo que se perdió fue ese impulso para inventar. A medida que la tecnología y las ideas disminuyeron en las ciudades y alrededor de estas, hubo menos ideas innovadoras. Sin embargo, eso no significa que el progreso se haya detenido por completo. Los avances en la agricultura experimentaron un cambio significativo durante la Edad Media. Al eliminar el temor constante de que la comida se agotara, la gente comenzó a tener más tiempo para considerar otros cambios e inventos.

Para los historiadores, llamar a este período la Edad Oscura es algo preciso, ya que no se sabe mucho sobre la vida cotidiana y los acontecimientos de la época. Sin embargo, esto se está solucionando a medida que los arqueólogos y científicos estudian los hallazgos y prueban los elementos encontrados en este período de la historia humana. Dado que hubo una gran cantidad de datos que se perdieron en el tiempo, es poco probable que el período sea tan comprensible. Sin embargo, se está creando una imagen más clara de cómo vivieron y murieron las personas durante la Edad Media.

Afortunadamente, gran parte de la historia de este tiempo no está en debate. Por supuesto, no se sabe tanto sobre la vida y la cultura de las personas en Europa occidental después de la caída de Roma hasta el año 1000 d. C., pero muchos de los principales eventos, como las conquistas de Carlomagno, se registraron y se conocen hoy en día.

Dado que el término en sí se deriva del deseo de denotar la insatisfacción de Petrarca con la forma en que iban las cosas, es un término que es mejor olvidar en lugar de perpetuarlo. Era esencialmente parte de una campaña de desprestigio contra épocas anteriores para demostrar que los hombres de la época de Petrarca se estaban volviendo más iluminados al volver a las ideas y la literatura del Imperio romano y la antigua Grecia. Esto es algo humorístico, ya que fueron algo selectivos sobre las ideas a las cuales regresaron, pues no comenzaron a adorar repentinamente a los dioses y héroes de los antiguos griegos y romanos.

Durante la Reforma Protestante, la Edad Media se refirió al tiempo desde la caída de Roma hasta su día actual, entre el año 476 d. C. hasta el siglo XVI. Para los protestantes, Europa bajo la Iglesia católica romana estaba tan atrasada como cualquier cosa que sucediera antes de 1000 d. C. Fueron los protestantes los que hicieron que el continente se iluminara más al descartar el control de la Iglesia católica en favor de un pensamiento más independiente.

El término Edad Oscura es realmente inexacto en casi todas sus aplicaciones. Como todavía está en uso, se ha adaptado para este libro, pero con el conocimiento de que es una descripción pobre del período. En un par de cientos de años, las personas pueden mirar hacia atrás en la actualidad y sentir que la Edad Oscura es solo una descripción más adecuada de nuestro tiempo. Pensar en la era de la Temprana Edad Media es más preciso y proporciona una mejor comprensión del marco temporal del período.

# Capítulo 2: El Mundo después de la caída de Roma

La caída de Roma fue como la caída de muchos de los otros imperios y civilizaciones anteriores. Nunca se trató de si la ciudad caería sino más bien de cuándo. Las civilizaciones siempre pasan por períodos de crecimiento y luego un lento declive. No sucede todo de una vez, e incluso el fin del poder de Roma no sucedió de la noche a la mañana. El saqueo de Roma no fue el fin del Imperio romano de Occidente porque todavía el emperador gobernaría por un tiempo más. Cuando la ciudad fue atacada, simplemente aceleró el declive en lugar de permitir que continuara languideciendo y deteriorándose. La caída de la ciudad envió ondas de choque en todo el continente, pero cuanto más lejos de la ciudad vivía la gente, menos obvios eran los efectos de la pérdida de Roma. Algunos lugares incluso se alegraron de ver el fin del dominio de los romanos.

## Señales del fin Roma

Una de las principales señales de que Roma ya no era el centro neurálgico que alguna vez había sido, fue la decadencia de la ciudad y el mantenimiento general del reino que se había empleado a la altura del imperio. Las personas en el poder eran más como buitres que destrozaban el imperio que languidecía, y no unos gobernantes reales. Hubo algunos buenos líderes en los últimos 100 años del imperio aproximadamente, pero eran minoría. La lucha interna de este período reflejó el final de la República romana unos cientos de años antes, que había terminado con Julio César tomando el control y eliminando en gran medida a los senadores del poder. Varios cientos de años más tarde, el pueblo de Roma había olvidado las lecciones del declive de la República romana, por lo que estaban condenados a repetirlo.

A medida que la gente buscaba cumplir sus propias ambiciones y codicia, el control extensivo del imperio se fue desvaneciendo continuamente. La incapacidad de Roma para proveer a las personas en las afueras de sus fronteras sería en realidad el catalizador de los ataques que ocasionarían el comienzo conmovedor del fin de la antigua Roma.

Hubo varias señales de advertencia que deberían haberles hecho saber a los romanos que iban por el camino de la destrucción. Hombres como Nerón y Calígula todavía son recordados hoy por sus salvajes demandas y su indiferencia hacia las personas que gobernaban. Permitir que hombres como ese permanecieran en el poder ayudó a destruir el imperio porque sacudió la fe de la gente en Roma. Sin embargo, fueron un síntoma y no la causa de la caída.

## Subestimar al Enemigo

Los romanos sufrieron el mismo tipo de arrogancia que criticaron a otros. Creyendo ciegamente en su propia invencibilidad, no pensaron que fuera posible que alguien atacara con éxito su ciudad. Cada vez que había signos de problemas, las personas en el poder retiraban sus fuerzas armadas para proteger el núcleo del imperio, dejando a las personas en los territorios periféricos vulnerables a los ataques. Esto estaba en contra de los acuerdos que Roma había establecido con esos territorios cuando habían negociado el control o lo habían llevado a la guerra.

Para los romanos, la gente de estas regiones lejanas del norte, como lo que se convertiría en el Reino Unido y las partes del norte de Europa, representaban poca o ninguna amenaza porque no eran sofisticadas y carecían de educación. Parecía ridículo incluso considerarlos como un peligro para el imperio. Sin embargo, este grave error sería lo que dejaría a Roma vulnerable ante las personas que consideraban inferiores.

Al principio, los emperadores romanos eran militares expertos que habían ayudado a conquistar la mayor parte del continente. Con el tiempo, los gobernantes se convirtieron en mocosos mimados que no entendían la importancia de mantener sus acuerdos con las personas que gobernaban. Brindar los suministros y la asistencia necesarios en momentos de problemas habría significado menos dinero para que los gobernantes lo usaran en sus proyectos y caprichos personales.

No obstante, quizás el error más crítico como resultado de su ignorancia fue su creencia de que las poblaciones en las tierras bajo su control carecían de educación y del tipo de capacitación que tenían los habitantes de Roma y sus alrededores. La realidad era que muchos de los hombres que vivían en esas regiones habían servido en el ejército romano, luchando por el imperio. No solo tenían educación, sino que estaban increíblemente bien entrenados en las tácticas utilizadas por el ejército romano. Muchos de los oficiales romanos vinieron de estas áreas, algunos debido a su asombro por las habilidades de los militares romanos y otros simplemente por servir al imperio. Estos hombres eran leales al imperio y tenían ciertas expectativas de lo que el imperio les proporcionaría.

La fe en el imperio comenzó a desmoronarse en las regiones exteriores, cuando Roma no cumplía con sus obligaciones. Esto llegó a un punto crítico cuando los hunos, que se habían extendido por el oeste de Asia y hacia el este de Europa, comenzaron a invadir el territorio de los godos, que vivían más allá de la frontera del Imperio romano con otras tribus germánicas. En busca de la protección del Imperio romano, el líder de los godos envió una solicitud al emperador para que permitiera a su pueblo establecerse en tierras romanas y tener protección romana. El emperador Valens pareció ignorar la solicitud porque el número de godos que buscaban seguridad era más de lo que creía que el Imperio romano podía sobrellevar. Una vez más, el líder gótico le escribió al emperador implorándole que permitiera a los godos ocupar las tierras debido a la inminente amenaza que representan los hunos. Y de nuevo, el emperador no respondió.

A medida que se acercaba el invierno, los godos sabían que se les estaba acabando el tiempo para ocupar una nueva tierra y todavía tenían tiempo para plantar y cosechar antes de que cayera el invierno. Comenzaron a entrar en pánico, y su líder ya no podía aceptar el silencio del emperador Valens. Aunque Valens estaba tratando de aprender más sobre las personas que buscaban su protección, debería haber enviado algún tipo de respuesta. Su falta de comprensión de la situación, junto con su propia distancia de la amenaza, lo cegó ante los peligros que existían para él y para Roma al ignorar a una población tan grande de personas que habían estado en buenos términos con Roma anteriormente. No dispuestos a seguir esperando, los godos se establecieron en el territorio sin la aprobación del emperador.

El resultado fue la Batalla de Adrianópolis (también llamada Adrianople) en 378 EC. En la que los godos superaron ampliamente en número a los romanos, y el encuentro fue como era de esperar. Con un estimado de 10.000 a 20.000 soldados romanos asesinados, Roma perdió alrededor de dos tercios de sus militares. El emperador Valens también murió durante este encuentro.

Después de haber perdido tan espectacularmente, los romanos tuvieron que permitir que los godos se establecieran dentro de sus límites porque ahora tenían un conjunto completamente diferente de problemas con los que lidiar, comenzando por la necesidad de elegir un nuevo emperador. Reinó una paz tentativa, pero las tensiones continuaron bajo la superficie.

Al ver su oportunidad de recuperar sus propias áreas, otras tribus germánicas hostiles comenzaron a escabullirse en los bordes del imperio. Más de 100 años antes del tiempo que los historiadores consideran la caída de Roma, el Imperio romano de Occidente ya estaba perdiendo su poder y sus tierras. Roma era considerablemente más pequeña cuando cayó. La batalla de Adrianópolis fue la primera vez que los romanos subestimaron seriamente a su enemigo.

Esto se evidenciaría nuevamente cuando Roma no cumpliera con sus obligaciones con los visigodos, una tribu occidental de los godos, a finales del siglo III. Su líder era Alarico, un hombre que había servido como oficial en el ejército romano. Era como un puente viviente entre su gente y el imperio al que había servido con distinción durante años. Roma le había prometido que a él y a su pueblo se les permitiría establecerse en tierras en los Balcanes; sin embargo, el emperador nuevamente no respondió a la solicitud para que se les permitiera llegar a un acuerdo. Este error casi idéntico fue cometido por el emperador romano occidental Honorio.

En lugar de llevar a su pueblo a asentarse en las tierras como lo habían hecho los godos, Alarico comenzó a hacer demandas adicionales al emperador, siendo la más notable la solicitud de otorgamiento de la ciudadanía romana por parte del emperador al pueblo de Alarico. Esto les daría a los visigodos beneficios que no se ofrecían a los no romanos. Los tipos de beneficios que obtendrían incluían la capacidad de votar, heredar tierras y estar protegidos por la ley romana.

El emperador Honorio finalmente respondió con una negación de la solicitud, y toda nueva solicitud realizada fue negada de nuevo. Al igual que el emperador Valens, el emperador Honorio subestimó catastróficamente a su oponente.

Alarico se había distinguido como parte del ejército romano, y había devuelto su estilo de lucha a su pueblo. Sabía cómo dirigir un campo de batalla, y lo más importante, sabía cómo obligar a su oponente a rendirse. Como cristiano y líder, era muy rígido en su comprensión de lo correcto y lo incorrecto, y en este caso, estaba claro que Roma estaba equivocada. Para rectificar esto, iba a utilizar lo que había aprendido como miembro de sus fuerzas armadas para obligar al emperador a cumplir su promesa original.

Cabe señalar que en ningún momento tuvo la intención de causar la caída de Roma o destruir el imperio. Él solo buscó obtener lo que le habían prometido a él y a su gente. Dados sus años de servicio, fue un grave error para Roma tratar de incumplir esa promesa. Era solo una señal de cuán ciegos se habían vuelto los emperadores con sus obligaciones.

No dispuesto a sentarse y esperar o deshonrar su servicio reclamando las tierras, Alarico llamó a sus hombres a las armas y los llevó a Roma. El emperador mostró una obscena falta de comprensión de la situación al ignorar por completo al gran ejército visigodo que marchaba hacia Roma, o lo hizo hasta que bloquearon todas las carreteras, lo que provocó el cese del comercio con Roma y el resto del imperio. Alarico usó su conocimiento para mantener a sus tropas motivadas, organizadas y bajo su control para obstaculizar completamente a Roma. Mientras esto sucedía, el incompetente Emperador Honorio se encontraba relajado en su villa en Rávena, que era la capital del Imperio romano de Occidente en aquel momento y se encontraba fuera de la ciudad.

Mientras controlaban las carreteras, las tropas de Alarico no sufrieron durante este tiempo. Pudieron comerciar y obtener suministros de las mismas personas que impidieron que llegaran a la ciudad. Sin embargo, las personas que vivían en Roma no fueron tan afortunadas. El agua y los alimentos comenzaron a escasear, debilitando significativamente la protección de la ciudad. Todo mientras el emperador continuaba ignorando las demandas de cumplimiento de su promesa a Alarico y a su pueblo.

Al no ver otras opciones, Alarico y sus militares entraron en Roma en 410 d. C., y lograron lo que pocos habían logrado antes. Saquearon la ciudad de Roma. Tardaron solo tres días hasta que los romanos se fueran con lo que pudieran llevar consigo. La única excepción fue que Alarico no permitiría que sus hombres retiraran o dañaran nada de las basílicas de San Pablo y San Pedro. Los 6.000 hombres que el Emperador Honorio finalmente había enviado no tenían ninguna posibilidad contra el ejército bien armado y bien organizado de Alarico.

Aunque Roma continuaría teniendo un poco de control sobre el imperio durante aproximadamente medio siglo, era simplemente una sombra de lo que había sido. El último emperador, Rómulo Augusto, tenía solo catorce años cuando ascendió a su cargo en 475 d. C., y solo duró un año. Era sobre todo un títere de su padre, y cuando el señor de la guerra germánico Odoacro mató al padre del emperador en el 476 d. C., le ofreció la jubilación al emperador y luego lo envió a vivir el resto de su vida a otra parte. Odoacro tomó el control del resto de los militares y mandó emisarios a Constantinopla, la capital del Imperio romano del Este.

Esta serie de eventos se consideró lo que se conoce como el fin del Imperio romano de Occidente.

## Afrontando el desmoronamiento del Imperio

Lo que mucha gente no se da cuenta es que la caída de Roma no fue el fin del imperio como la gente de la época pensaba, sino solo la pérdida de una de sus principales ciudades. Europa occidental vio derrumbarse el Imperio romano de Occidente, pero Europa del Este y el Imperio romano de Oriente continuaron prosperando. Esta es parte de la razón por la cual denominar a esta época la Edad Oscura es increíblemente inexacta: la tecnología y la civilización continuaron avanzando, pero no en las partes de Europa que se desarrollarían en la historia más reciente. En lo que hoy se conoce como el Imperio bizantino, no hubo pérdida de ingenio, cultura, arquitectura o cualquier otra cosa que la gente asocie con la antigua Roma. Sin embargo, el papel del Imperio bizantino es mucho más grande de lo que se puede abordar en una sección corta, y aún hoy existe una amplia información sobre ese imperio en particular. El capítulo 4 ofrece una visión general de cómo perpetuaron todo lo que había hecho a Roma tan influyente.

Europa occidental se dividió y las personas que todavía se consideraban romanas comenzaron a tomar el control de sus propios dominios mucho más pequeños. Estos gobernantes continuaron usando muchas de las mismas leyes y principios que habían sido la piedra angular del imperio. Esencialmente, lo que sucedió en Europa occidental fue una evolución sin restricciones del imperio en decadencia. La gente regresó a las casas de sus antepasados, y ya no estaban atados a un imperio que se había vuelto cada vez menos receptivo a sus necesidades.

La reconfiguración de las tierras que habían sido parte del imperio naturalmente provocó que sufrieran muchas guerras. Cuando diferentes pueblos intentaron reclamar sus tierras ancestrales, aprovecharon el vacío de poder para establecer algo más beneficioso para su gente. Para estas personas, la vida cambió significativamente.

Pero no hubo un cambio real para aproximadamente el 90% de la población. Los campesinos y esclavos no vieron ningún cambio real en su vida cotidiana. Las escaramuzas y las batallas por el control las perjudicaron claramente, pero esto probablemente no era muy diferente de las mismas escaramuzas y batallas que ocurrieron durante la decadencia del imperio. La vida no era más dura ni más fácil de lo que había sido antes de que el último emperador se retirara. A pesar de toda la belleza y el progreso realizado por Roma, en realidad solo un pequeño porcentaje de la población se había beneficiado de ello. La élite romana también había sido increíblemente cruel con cualquiera que intentara alterar el sistema que beneficiaba a esta pequeña minoría de la población, manteniendo el resto del imperio bajo su control. Su creencia ciega de que las cosas seguirían igual dio lugar a los errores que finalmente les harían más daño. Las tribus germánicas que habían despreciado y con las que habían alimentado a las bestias salvajes en el Coliseo se vengarían, dejando a la élite muerta o viviendo una forma de vida que era muy diferente a la anterior.

Los cambios más interesantes ocurrieron en las áreas fuera de Roma en los lugares donde tuvieron más dificultades para conquistar. La isla pequeña de Gran Bretaña, que algún día sería la base de un imperio completamente diferente, fue una de las primeras áreas que Roma dejó a su suerte, incluso antes de que Roma cayera. Las regiones que algún día formarían las principales naciones de Europa continental (España, Portugal, Francia y el Sacro Imperio romano) también pasaron los siguientes cientos de años luchando contra los invasores y comenzando a formar las primeras raíces de las naciones en las que eventualmente se convertirían.

# Capítulo 3: El Surgimiento de la Iglesia Cristiana

Al principio, el cristianismo era más una secta del judaísmo que una religión independiente. Con el tiempo, creció en popularidad y ganó respeto, extendiéndose por todo el Imperio romano. Inicialmente, las personas que creían en esta religión fueron tratadas con desprecio, y los romanos disfrutaron literalmente atormentando a los cristianos hasta la muerte. Sin embargo, cuando Roma cayó, el cristianismo se había convertido en una religión propia que había atraído a personas de todo el continente.

La corrupción de Roma al final del Imperio romano de Occidente no había visto una pérdida de las enseñanzas de lo que hoy se llama mitología romana. Más bien, las dos religiones tenían seguidores que vivían lado a lado. Sin embargo, la fuerza de las tribus germánicas que eran cristianas comenzó a atraer seguidores de los antiguos dioses. Como Roma fue repetidamente derrotada por miembros de esta nueva religión, la adoración de los antiguos dioses fue abandonada.

Tras el saqueo de Roma y el fin del Imperio romano de Occidente, el cristianismo surgió como la religión dominante, incluso en Constantinopla. Los viejos dioses eventualmente cayeron en la oscuridad y luego en la mitología. El cristianismo evolucionó de una religión que buscaba enseñar la salvación a una religión mucho más grande, más organizada y más poderosa. Al final de la Edad Media, la religión era casi irreconocible desde sus humildes comienzos. Si bien alguna vez fue una de las pocas cosas que ayudó a unificar a las personas en todo el continente, se convirtió en una religión con una base de poder centralizada que finalmente se volvió tan corrupta como el Imperio romano. Sin embargo, durante la Edad Media, la religión todavía persistía y atraía seguidores por medios menos violentos.

## Persecución y Aceptación en Roma

El cristianismo comenzó con Jesús, pero sus seguidores tomaron sus enseñanzas y las extendieron más allá de Judea. Pablo de Tarso se convirtió en el mayor defensor de la religión. Comenzó como una secta increíblemente desorganizada que buscaba salvar almas después de la muerte a través de las enseñanzas de Jesús. Mientras que el judaísmo fue reconocido por el Imperio romano, el cristianismo no. Sin embargo, el cristianismo se consideraba una secta judía y no una religión formal en ese momento, por lo que no recibió las mismas protecciones que la religión raíz de la que surgió.

Como resultado, los funcionarios del Imperio romano ocasionalmente perseguirían a los seguidores del cristianismo. A veces, los cristianos incluso se usaban en el Coliseo como entretenimiento, ya que los animales salvajes los destrozaban. Sin embargo, en su mayor parte, los romanos tendieron a ignorar esta pequeña secta, incluso cuando se extendió por todo el imperio. La política típicamente romana era dejar que las regiones conquistadas continuaran con sus propias creencias. La excepción a esto fue cuando la gente comenzó a desafiar directamente la autoridad romana. Cuando esto sucediera, los romanos actuarían rápidamente para detenerlos. Este enfoque más laissez-faire para administrar sus territorios fue parte de lo que facilitó que el cristianismo se extendiera tanto como lo hizo en aquellos primeros días.

A medida que el cristianismo se convirtió en una religión más prominente, la gente en Roma comenzó a tomar nota. Esto pronto persuadió al emperador Constantino I a emitir el Edicto de Milán. Este edicto proporcionó estatus legal a varias religiones dentro del Imperio romano, incluido el cristianismo, en 313 d. C. Más de una década más tarde, en 325 d. C., el emperador presentó el Consejo de Nicea. El propósito principal de este concilio era establecer las creencias primarias del cristianismo. El resultado final fue el Credo de Nicea, que establece los preceptos básicos y las creencias del cristianismo en forma concisa. El cristianismo finalmente estaba ganando un poder y una organización más tangible.

Aun así, no reemplazó las creencias de los romanos. Eso no ocurrió hasta 380 d. C. cuando el emperador Teodosio I emitió su Edicto de Tesalónica. La forma de cristianismo seguida por Constantino, comúnmente conocido como cristianismo de Nicea, fue la forma de cristianismo que se convirtió en la religión oficial del imperio. Todas las demás formas de cristianismo fueron prohibidas, perdiendo su protección bajo el emperador Teodosio. Este fue el primer gran evento de persecución instigado por una poderosa figura cristiana, pero desafortunadamente no sería el último.

## Una Señal de Dios

Cuando cayó Roma, el cristianismo se había convertido en una religión reconocida y poderosa, y todavía se estaba extendiendo por todo el continente. Muchas de las tribus germánicas eran cristianas, por ejemplo, los godos. En Roma, sin embargo, todavía había muchos seguidores de la antigua religión romana con su panteón de dioses.

Una vez que Roma dejó de ser el centro de su imperio, la gente comenzó a ver su caída como una señal de que los dioses romanos no eran tan fuertes como el dios cristiano. Después de todo, el dios cristiano ayudó a las tribus germánicas a ganar dos grandes batallas contra los emperadores romanos. Parecía obvio que los dioses romanos no podían enfrentarse a un dios tan poderoso que estaba llevando a su pueblo a la victoria.

Como muchas personas en Europa tomaron la caída de Roma como un signo religioso, el cristianismo vio un aumento en popularidad y una mayor evolución de sus enseñanzas de perdón, tolerancia y pacifismo. La señal de que el dios cristiano era más poderoso que otros dioses persuadió a muchas personas en Europa a seguir las enseñanzas cristianas, dando a la Iglesia cristiana aún más poder. Con este nuevo poder surgieron desacuerdos sobre cómo interpretar las viejas enseñanzas. Esto eventualmente causó una gran división entre el cristianismo oriental y occidental, pero eso no sucedió hasta después de 1000 d. C.

## Una Fusión de Creencias

Las diferentes religiones cristianas en Europa tendían a estar en desacuerdo entre sí, por lo general alegando que eran la religión correcta y que otras enseñanzas estaban equivocadas o eran una forma de herejía. Sin embargo, cuando se trataba de convertir a otros a su religión, a menudo trabajaban junto con otras religiones. Muchas de las fiestas cristianas, si no todas, se basan en las celebraciones u observaciones de otras religiones.

Quizás la más conocida de estas fiestas es la Pascua, que en realidad fue una celebración pagana de la primavera y la renovación del mundo en una nueva vida. Este festival comenzó con los sajones para celebrar a su diosa Eostra, que dio a la humanidad la primavera todos los años. Una de las razones por las que fue fácil comenzar a transformar esta celebración en una festividad cristiana es que la celebración de la primavera comenzó alrededor de la festividad de la Pascua judía, una festividad que los cristianos todavía observaban. El nombre para la Pascua celebra a los judíos liberados de la esclavitud en el antiguo Egipto, y el nombre proviene del "paso" de las casas en el antiguo Egipto que pertenecían a los esclavos judíos. Se dijo que cualquier hogar que no estaba marcado era visitado por el espíritu santo que mató al hijo mayor.

La correlación entre la renovación de la vida tenía paralelos obvios. Sin embargo, el cristianismo necesitaba algo más específico para su religión en lugar de estar atado al judaísmo. En lugar de equiparar la festividad con la Pascua, decidieron correlacionarla con la muerte y resurrección de Jesús. Esto tenía conexiones aún más obvias con el tema de la renovación, y ayudó a persuadir a los paganos a convertirse al cristianismo mediante la reutilización de una de las principales fiestas paganas. Este era un método que la Iglesia cristiana usaría durante la mayor parte de la Edad Media. Dado que adaptarían las vacaciones para satisfacer las necesidades de su religión y luego difundirían las vacaciones en todo el continente, hace que sea difícil saber exactamente cuándo ocurrieron los eventos históricos de la religión. Por ejemplo, durante los primeros cientos de años, los cristianos no celebraron el nacimiento de Jesús porque se consideró incorrecto reconocer el nacimiento de un mártir como día festivo. Fue solo en 221 d. C., un poco menos de 200 años después de su muerte, que los cristianos comenzaron a reconocer la festividad, y la fijaron para el 25 de diciembre. Esto coincidió con la celebración romana del solsticio de invierno y probablemente no reflejó la fecha real del nacimiento de Jesús.

El cristianismo de Nicea tampoco abandonó las enseñanzas, la cultura o las creencias del Imperio romano. Como hizo la Iglesia cristiana con muchas de las religiones y culturas que encontró en toda Europa, tomó diferentes aspectos del Imperio romano y lo adaptó para encajar en las enseñanzas del cristianismo. Mirando a la Iglesia católica romana, muchas de las creencias y estructuras provienen del antiguo imperio. El hecho de que los servicios de la Iglesia se siguieran prestando en latín hasta finales del siglo XX muestra cuánta influencia tuvo el imperio en la religión. Incluso el nombre de la cabeza de la Iglesia, el papa, se deriva del título oficial del sumo sacerdote del panteón romano. El término Pontifex Maximus se usó para designar al jefe de la Iglesia cristiana, siendo uno de sus títulos oficiales el Sumo Pontífice.

# Capítulo 4: Roma Continúa: El Imperio Bizantino

Como se mencionó en el capítulo 2, el saqueo de Roma y la destitución del último emperador romano no se consideraron el fin para el Imperio romano. Había dos ciudades principales que gobernaban el Imperio romano, cada una de las cuales tenía su propio gobernante. Ciertamente, Roma fue donde comenzó el imperio, pero se había vuelto tan grande durante su apogeo que requirió una segunda ciudad y un gobernante para administrar el lado oriental del imperio.

La idea de que todo se perdió cuando cayó Roma es obviamente errónea, ya que gran parte de las tradiciones, la literatura e incluso su mitología son bien conocidas hoy en día. Gran parte de la información sobre el Imperio romano fue preservada por la gente en Constantinopla, asegurando que los eventos, las personas y la cultura se conservaran mucho después de la caída de la ilustre ciudad.

Los efectos de la caída también se sintieron hasta el este. Puede que las dos ciudades fueran gobernadas por separado, pero aún así trabajaron juntas. Sin Roma, Constantinopla tuvo que lidiar con problemas como la deuda y la protección, sin la fuerza del ejército romano. Tenían su propia estructura militar, social y leyes, pero siempre hubo un nivel de seguridad en su lado occidental que se perdió sin su ciudad hermana.

## La Necesidad de un Segundo gobernante

La mayoría de la gente considera a Roma como el centro del Imperio romano. Ahí es donde comenzó el imperio, pero la expansión perpetua hizo que fuera demasiado difícil para una sola ciudad administrar cada territorio dentro del imperio. La división ocurrió en 285 d. C. bajo el emperador Diocleciano. Al dividir el control con la ciudad hacia el este, gobernar las dos áreas muy diferentes se volvió más manejable. Roma era la capital de la porción occidental del imperio, y Bizancio era la capital del lado oriental. Más tarde, la capital oriental pasaría a llamarse Constantinopla.

Las dos mitades de este extenso imperio continuaron prosperando y ninguna de las dos se consideró más vital o en control que la otra. Las cosas comenzaron a cambiar unos 100 años después bajo el gobierno del emperador Teodosio, el mismo emperador que prohibió todas las versiones del cristianismo que no se ajustaban al cristianismo de Nicea. Entre 379 y 395 d. C, el emperador de Occidente se volvió más tiránico que los emperadores anteriores, y su celo por el cristianismo resultó ser perjudicial para la tolerancia que era parte de la religión cristiana antes de su reinado. Teodosio quería no solo librar al imperio de las creencias paganas, sino obligar a todos los cristianos a conformarse con lo que él creía que era el conjunto correcto de creencias. Esto causó una grieta entre las dos mitades del imperio, dividiéndolas en el Imperio romano de Occidente y el Imperio bizantino. Sin embargo, estos términos se crearon después de la caída del imperio, y las personas en ese entonces se habrían considerado parte del Imperio romano, independientemente de en qué imperio vivieran.

La división fue creciendo durante algún tiempo, por lo que las diferentes ideologías siempre estaban destinadas a dividir aún más las dos mitades del imperio. Algunos de los emperadores en la mitad oriental ni siquiera viajaron a Roma, destacando el hecho de que eran su propia fuente de poder.

Con el tiempo, Roma continuó enfocándose en el control y el poder religioso. Su falta de enfoque en mantener su porción del imperio y descuidar el cumplimiento de sus acuerdos con los pueblos de sus territorios sujetos terminó en su desaparición. La región bajo la protección y el control de Constantinopla no sufrió el mismo destino. Fueron más indulgentes, y sus políticas les ayudaron a ser más prestigiosos y poderosos a medida que Roma declinaba. Fue increíblemente afortunado que las dos mitades se hubieran separado. Mientras Roma declinaba, la gente bajo el dominio bizantino continuó las tradiciones y la cultura que habían comenzado en Roma.

## Los efectos de la caída de Roma

Aunque estaba separada de Roma, Constantinopla y la mitad oriental del imperio todavía sintieron los efectos de la pérdida de lo que alguna vez fue la ciudad más poderosa de Europa. Desde un punto de vista práctico, las tribus germánicas que habían destruido y finalmente saqueado Roma eran ahora una amenaza para la frontera occidental del Imperio romano del Este.

La propia capital era menos susceptible a los ataques debido a su ubicación. Debido a que estaba ubicada a ambos lados de un estrecho, tratar de invadir la ciudad resultaría ser tan difícil de lograr como saquear Roma. En consecuencia, tomó casi tanto tiempo para que sucediera lo inevitable en Constantinopla. Las tribus germánicas representaban una amenaza para el Imperio bizantino, pero con una frontera mucho más pequeña, los riesgos para la mitad oriental no eran tan grandes como lo habían sido para Roma. Esto cambiaría con el tiempo a medida que el Imperio bizantino se extendiera, pero en los años inmediatamente posteriores a la caída de Roma, la capital oriental y las tierras bajo su dominio estaban seguras.

Siempre hubo una separación de ideología entre las dos ciudades poderosas, y una vez que la mitad oriental se convirtió en la única mitad sobreviviente, continuó alejándose de las raíces latinas de Roma, ya que favoreció las tradiciones griegas. Si bien no descartó por completo la cultura de Roma, el Imperio romano de Oriente se movió más hacia seguir las tradiciones griegas. A pesar de esto, el Imperio bizantino continuó algunas de las tradiciones de Roma que lo habían hecho tan vasto y poderoso. Los líderes de Constantinopla ejercieron un fuerte control sobre los aspectos administrativos de gobernar a su gente, logrando mantener la ciudad y sus tierras estables durante un tiempo tan incierto. También tenían una comprensión firme de los problemas económicos y los métodos para minimizar la pérdida de su otra mitad. Conscientes de lo importante que era su ejército, los administradores y el emperador del Imperio bizantino se aseguraron de que su ejército se mantuviera fuerte y bien financiado. Manejaron sus recursos mucho más eficientemente que Roma durante su declive.

## Construyendo un nuevo Imperio

Incluso sin Roma, la mitad oriental del imperio floreció. No había emperadores con los que debían coordinarse, comprometerse o discutir sobre la forma en que se debía administrar la ciudad y sus tierras. Al haber asegurado sus fronteras haciendo crecer su ejército, pronto se convirtieron en un jugador increíblemente influyente en Europa, el Cercano Oriente y el norte de África. Sin embargo, nunca lograron recuperar gran parte de la Europa continental.

También hubo muchos gobernantes notables del nuevo imperio. Hombres como el emperador Justiniano lograron ayudar a expandir el imperio, extendiendo su alcance mucho más allá de los límites que mantuvo después de la caída de Roma. A diferencia del Imperio romano de Occidente en sus últimos años, la gente en el Imperio romano de Oriente tenía oportunidades que iban mucho más allá de su posición. El emperador Justiniano en realidad venía de una clase baja, y su esposa, la emperatriz Teodora, fue una cortesana antes de su matrimonio con Justiniano. Al ayudar a las personas en las clases inferiores a levantarse, el imperio comenzó a prosperar porque estas personas entendían mejor la difícil situación de las clases bajas. Las leyes y creencias se basaron en una base más humanitaria y tolerante para gran parte del Imperio bizantino. Esto, por supuesto, cambiaría más tarde, ya que comenzó a pudrirse como lo había hecho Roma. Sin embargo, los primeros días después de la caída de Roma perpetuaron la cultura de Roma mientras establecían su propia cultura. Por ejemplo, algunos de los edificios más impresionantes diseñados y construidos en los siguientes 1.000 años se hicieron en Constantinopla. A diferencia de las grandes catedrales y estructuras que comenzaron a surgir en toda Europa occidental, la arquitectura del Imperio bizantino estaba más cerca de las tradiciones romanas.

No es una coincidencia que el Renacimiento italiano comenzó alrededor del final del Imperio bizantino. Europa occidental no fue de ninguna manera el lugar sin educación y bárbaro que a menudo se retrata como si fuera hoy durante la Edad Media, pero no tenían la misma conexión con el Imperio romano que la gente de Constantinopla. Las ideas y creencias que se perdieron en Europa occidental fueron restauradas y reaprendidas cuando la gente de Constantinopla regresó a Roma e Italia. Fue la fusión de las viejas y nuevas ideas lo que ayudó a provocar los cambios que explotarían al comienzo de la era moderna y cambiarían permanentemente el paisaje de Europa.

# Capítulo 5: El ascenso del Califato y la conquista de España

El término califato se refiere al doble estado político y religioso según las leyes musulmanas. Hoy, también se refiere a una comunidad musulmana, aunque eso no era así en los primeros días de su conquista en el Medio Oriente, el norte de África y el sur de Europa. El líder de un califato se llama califa, que tiene un significado similar al término rey o emperador. La expansión del islam comenzó poco después de que se designó al primer califa y terminó en 1258 d. C. cuando los mongoles entraron y saquearon Bagdad.

Durante el apogeo del califato, la religión del islam se adoptó y se extendió a las áreas bajo el control del califa, aunque la población en general no tenía que ser musulmana. La mayor parte del norte de África y el sureste de Asia se incluyeron en las regiones que eran islámicas, y muchas de las regiones todavía practican la religión hoy en día.

El imperio del califato intentó extenderse a Europa, pero pronto descubrió que no eran rival para las tribus germánicas que habían adoptado las tácticas militares del Imperio romano. Fue uno de los pocos lugares donde no fueron fácilmente victoriosos o reconocidos indiferentemente, y decidieron continuar su conquista en otras regiones en lugar de presionar más al norte hacia Europa.

## Los comienzos de un nuevo Imperio

A medida que el cristianismo continuó evolucionando y cambiando en toda Europa, se formó una nueva religión bajo el profeta Mahoma. Tenía poder religioso y político sobre los que lo seguían, pero su muerte planteó un problema único para la religión que se formó en torno a sus enseñanzas. Como el "Sello de los Profetas", los que siguieron a Mahoma creían que él era el último profeta que estaría en la Tierra; no habría otros profetas después de él. Esto les dio más peso a sus enseñanzas que las enseñanzas de profetas anteriores de la región, principalmente profetas judíos y cristianos. Al igual que los cristianos creían que las palabras de Jesús eran el mensaje más importante a seguir, más que las palabras de los profetas anteriores, las enseñanzas de Mahoma fueron la última palabra y reemplazaron las palabras de todos los demás profetas.

Mahoma murió en 632 d. C., dejando a sus seguidores sin un líder obvio. Tampoco dejó ninguna instrucción sobre cómo sería sucedido como líder religioso. Sin embargo, sus seguidores fueron organizados, y rápidamente eligieron a uno de los suegros de Muhammad, Abu Bakr. Aunque no era un profeta, sirvió como el nuevo líder espiritual y político del islam. Abu Bakr fue seleccionado porque se creía que tendría una mejor comprensión de la religión iniciada por su yerno y la mejor manera de implementar sus enseñanzas y gobernar a los seguidores de Mahoma.

Con el tiempo, hubo cierto debate sobre cómo se debía elegir al nuevo califa, con una inclinación hacia los descendientes del profeta o aquellos que de alguna manera estaban relacionados con él. Esto eventualmente se convirtió en un aspecto divisivo en la religión que todavía se siente hoy en día.

Los primeros cuatro califas estaban relacionados con el profeta o eran sus compañeros más cercanos. Cuando Úmar ibn al-Jattāb subió al poder después de la muerte de Abu Bakr, quiso difundir la religión y su control sobre un área más grande. Este fue el comienzo de una conquista que convirtió a esta pequeña secta en la religión principal de un enorme imperio. Sería el califa de 634 a 644 d. C.

Inicialmente, la atención se centró en obtener el control sobre las pequeñas tribus a su alrededor. Esto resultó ser difícil, ya que su ejército no era tan organizado o competente en 634, pero el nuevo califa trabajó para crear un sistema militar que fuera efectivo contra las pequeñas tribus circundantes. Su éxito comenzó a extender su control a las áreas circundantes, y luego su control comenzó a llegar hacia el este y el norte hacia los imperios sasánida (persa) y Bizantino, respectivamente.

Tuvieron éxito durante varias décadas, incluso atacaron a Constantinopla varias veces, aunque nunca derribaron con éxito la capital del Imperio bizantino. Encontraron más éxito contra el Imperio sasánida, eventualmente disolviendo su cultura y gobierno y estableciendo el califato en la región.

Algunos señalan el estado debilitado del Imperio sasánida y la falta de estructuras internas alrededor de las áreas que incorporó el nuevo imperio. Ciertamente hay algo de verdad en esto, ya que muchas de las personas en las regiones que cayeron bajo el control del califa eran indiferentes al nuevo líder. Años de luchas y terribles gobernantes habían dejado a la gente en muchas de estas regiones en entornos difíciles. Sin embargo, con el paso del tiempo, los militares del imperio se volvieron efectivos e impresionantes.

Derrotaron con éxito al Imperio bizantino en varias batallas y rara vez perdieron en sus guerras de conquista.

A medida que extendieron el imperio, los musulmanes también empujaron los límites en ciencias y matemáticas. Los números utilizados hoy para la ciencia y las matemáticas son números arábigos, y se ofreció educación en todo el Imperio islámico. El estancamiento de este tipo de intereses en Europa estaba en marcado contraste con la forma en que los musulmanes se esforzaron por mejorar la vida de las personas que estaban debajo de ellos. Valoraban la educación y el aprendizaje porque entendían el valor de tener personas capaces de pensar e innovar.

Su mayor derrota se produjo cuando entraron en Europa y trataron de extender su dominio sobre las tribus germánicas que todavía estaban tratando de descubrir sus propias fronteras. Si las áreas en desarrollo y las naciones de Europa habían demostrado algo hasta este punto, era que estaban más que dispuestos a aliarse entre sí para derrotar a los forasteros. Esta disposición a ignorar sus diferencias convirtió a las tribus germánicas que aplicaron las viejas tácticas romanas contra sus enemigos en un enemigo increíblemente formidable, y fue algo que el comandante islámico y sus hombres no anticiparon.

## Exito Inicial y la Primera Resistencia

Después de haber experimentado repetidos éxitos en todo el norte de África, el ejército musulmán recurrió al Estrecho de Gibraltar para continuar su expansión hacia el norte. Se abrieron paso sin ser cuestionados a través de lo que algún día se convertiría en España entre 711 y 713 d. C. Al igual que muchos de los otros lugares que conquistaron, el ejército y el gobierno musulmán no obligaron a la gente a seguir la religión del islam. En cambio, adoptaron un enfoque similar utilizado por Roma siglos antes, permitiendo que las culturas y religiones de sus territorios conquistados continuaran en gran medida como lo habían hecho antes de la conquista. Los gobiernos locales se establecieron bajo un gobierno musulmán, y las regiones siguieron los sistemas financieros establecidos bajo el califa. Con el tiempo, este enfoque resultó ser mucho más efectivo que forzar la conversión a su religión, como se vería más adelante en Europa cuando las muchas Iglesias cristianas, como la Iglesia católica y la Iglesia anglicana, mataron a todos los que no se convirtieron. Esta tolerancia de otras religiones mostró que los gobernantes musulmanes no solo entendían sus diferencias, sino que querían que la vida mejorara de manera que se adaptara a los lugares que conquistaron.

También adoptaron las tácticas y el armamento de las áreas que conquistaron. Para cuando el ejército musulmán se extendió por España, ya se habían vuelto hábiles para incorporar las técnicas de Asia Central en su guerra. Esto resultó ser instrumental en sus conquistas exitosas, y rara vez se enfrentaron a personas que podían combatir este enfoque.

Fue solo cuando comenzaron a tratar de extenderse más allá de España y más allá de Europa que el ejército musulmán se encontró con un oponente que subestimaron enormemente. Quizás esperaban el mismo tipo de sistemas políticos y militares débiles que podrían incorporarse rápidamente a los suyos. A medida que continuaban empujando hacia el oeste, parecía que tendrían cierto nivel de éxito al encontrarse con el duque Odo de Francia, que buscaba formar una alianza con ellos contra los francos que seguían a Carlos Martel, también conocido como Carlos el Martillo. Odo esperaba asegurar sus tierras de los invasores francos a través de una alianza con un grupo más poderoso, pero sus esperanzas se desvanecieron rápidamente cuando un nuevo emir (gobernante) subió al poder después de una guerra civil en los territorios musulmanes. Abdul al-Rahman no quería una alianza, quería continuar expandiendo el imperio. Dirigiendo a sus hombres hacia el norte, comenzó a entrar en partes de la Francia moderna. La única victoria que Odo encontró contra este nuevo enemigo fue durante la Batalla de Toulouse en 721 d. C. Sin embargo, los musulmanes pudieron controlar la mayor parte de Aquitania y Burdeos.

Odo ahora se enfrentaba a la realidad de que la única forma de detener a estos nuevos invasores era recurrir a los francos y Carlos Martel. A cambio de ayudar a Odo, Carlos requirió su acuerdo para estar sujeto a los francos. Sabiendo que no tenía otras opciones, Odo aceptó y luego se enfrentó a los musulmanes que continuaban su conquista más allá del dominio de Odo. Cuando los musulmanes lo derrotaron en la batalla del río Garona en 732, Martel marchó hacia el sur para encontrarse con el ejército que avanzaba. Martel estaba decidido a elegir el terreno donde comenzaría la próxima batalla, la Batalla de Tours.

Algunos historiadores especulan que la serie de eventos que siguieron demostraron una sensación de exceso de confianza o complacencia por parte de Abdul-al-Rahman. Tal vez creyendo en su propia superioridad después de derrotar a Odo, pensó que conquistar los restos del Imperio romano sería igual de fácil. En cualquier caso, cuando finalmente se enfrentó a Martel, el comandante musulmán no estaba listo para luchar contra alguien que había pasado mucho tiempo estudiando las tácticas militares del Imperio romano y Alejandro Magno y luego perfeccionando esas tácticas.

Habiendo elegido dónde pelearía, Martel hizo que sus hombres hicieran una formación defensiva apretada en terreno elevado, dándoles una ventaja significativa sobre el ejército musulmán. Inicialmente, Abdul al-Rahman se tomó su tiempo para estudiar a los francos, con algunas escaramuzas estallando en el transcurso de varios días. Con la promesa de riqueza esperándolo en Tours, el comandante decidió realizar un asalto frontal completo contra los francos bien posicionados. Esto coincidió justo con lo que Martel quería cuando la batalla cuesta arriba cansó a sus caballos, y fue mucho más difícil penetrar la apretada formación de los francos.

Luego, se corrió la voz entre las fuerzas musulmanas de que algunos de los francos habían comenzado a atacar su flanco, tomando parte del tesoro que los musulmanes habían incautado mientras marchaban hacia el norte. Al escuchar esto, la caballería se volvió inmediatamente para evitar que los francos se llevaran el tesoro que habían dejado en las tiendas. El resto de los militares tomaron esto como una señal de retirada, y rápidamente siguieron a su caballería. Cuando Abdul al-Rahman intentó que se dieran la vuelta, se dio cuenta de que los francos lo superaban en gran número. Los francos se aprovecharon rápidamente de la situación, matando al comandante y sembrando más caos entre sus militares. Se estima que los musulmanes perdieron alrededor de 10.000 de sus soldados durante la batalla en comparación con los 1.000 a 1.500 francos que perecieron. La estrategia de Martel claramente fue mucho más allá de lo que los musulmanes podrían haber esperado, convirtiendo su subestimación del enemigo en un grave error que les costó mucho más, por lo que no estaban dispuestos a arriesgarse nuevamente.

Este inesperado giro de los acontecimientos no persuadió a los musulmanes a abandonar el continente, pero sí marcó el fin de su deseo de expandirse más en estas tierras cristianas particulares. La Batalla de Tours le dio a Martel una reputación que usaría para extender su reino. Los musulmanes, por otro lado, permanecieron atrincherados en los territorios que ya habían tomado en el sur de Francia y España. Se aplazaron un par de campañas más en 736 y 739 d. C., pero los resultados de las incursiones rápidamente recordaron a los comandantes ambiciosos por qué no era aconsejable mudarse al norte. Con tantos territorios ya bajo el control del califa, se decidió que tratar de extenderse más al norte contra una oposición tan fuerte no estaba justificado. Simplemente no valió la pena el esfuerzo, particularmente a medida que otros problemas comenzaron a surgir en el resto del imperio.

Con el paso del tiempo, el imperio comenzó a decaer, y los califas se centraron en todas las cosas equivocadas, al igual que como casi cualquier otro imperio que se derrumbó. El territorio islámico comenzó a reducirse ya que no pudieron mantener a los militares de una manera que les permitiera mantener el control de sus extensas tierras. Las personas que vivían debajo de ellos se sintieron descontentas con la sobrecarga y la falta de beneficios, al igual que la gente en Roma, el Imperio bizantino y casi todas las demás civilizaciones habían experimentado. Los cambios bienvenidos que los musulmanes habían introducido dieron paso al mismo tipo de líderes egoístas que buscaban ganancias personales en lugar del bienestar de su gente. La Edad Media estuvo llena de este patrón repetido por los numerosos imperios que fueron víctimas de no haber prestado atención a la historia y repitieron los mismos errores que habían terminado con casi todos los imperios anteriores.

# Capítulo 6: El Reino de los Lombardos

Los lombardos eran una tribu germánica particularmente interesante. Originarios del área alrededor de Escandinavia, eventualmente emigraron hasta Italia, donde gobernaron durante más de 200 años. Fue un gobierno muy desigual que tuvo muchos reyes débiles e ineficaces y una nobleza que a menudo buscaba el interés propio sobre el interés del reino. Un puñado de líderes expandió este reino para convertirse en algo mucho más grande de lo que su humilde comienzo podría sugerir.

Sin embargo, su fama de malos gobernantes causó una situación similar a la que se vio en Roma. Las luchas internas y la falta de habilidades para gobernar ofenderían al poderoso Reino franco. Sin embargo, si hubo algo que los lombardos hicieron bien, fue conformarse y adaptarse a su nuevo entorno y gobierno. Puede que no hayan mantenido su reino viable por mucho tiempo, pero fueron fácilmente incorporados al reino que siguió después de que el suyo cayera.

## La gran migración

Había muchas tribus germánicas diferentes, y no todas fueron conquistadas por los romanos. Durante aproximadamente 100 años (376 a 476 d. C.), estas tribus comenzaron a moverse y establecerse en nuevas regiones. Si bien las fechas son discutibles, muchos historiadores citan la reubicación y migración de los godos en 376 d. C. como el primer evento importante de la Gran Migración. Cuando los godos cruzaron el río Danubio hacia territorio romano, el ejército romano los atacó. Los godos habían estado tratando de obtener la aprobación de Roma para hacer el movimiento, y cuando su solicitud fue ignorada por completo, lo hicieron de todos modos para escapar de los hunos que estaban invadiendo sus tierras. La batalla de Adrianópolis demostró que Roma no era tan poderosa como lo había sido antes.

Otras tribus vieron el éxito de los godos, y muchas de ellas decidieron arriesgarse también. Con pruebas de que Roma podría ser vencida, junto con los hunos casi invictos del otro lado, algunas de las tribus germánicas decidieron arriesgarse con los romanos.

Los movimientos de los winnili, los antepasados de los lombardos, están envueltos en mitos, lo que hace que sea difícil saber mucho más además de lo que fueron sus orígenes en el sur de Escandinavia. Con el paso de los años, se volvieron más nómadas, y sus movimientos les hicieron encontrarse con varias de las principales tribus germánicas, como los vándalos y los sajones.

Para el siglo I d. C., vivían una vida relativamente pacífica como parte del pueblo sueco. Se produjeron batallas esporádicas con las tribus celtas y germánicas, pero en su mayor parte, los lombardos se centraron en la agricultura más que en la conquista. Eso cambiaría en la época de la Gran Migración.

Al igual que muchas otras tribus germánicas, los lombardos buscaron un lugar más seguro contra la amenaza húnnica, y así se establecieron en un área al norte de la región del Danubio. Su líder durante este tiempo fue Lamissio, quien fue parte de lo que se describe mejor como una dinastía real. Había demostrado ser un gran líder antes de la migración cuando reunió a sus hombres para atacar a los búlgaros para ayudar a rescatar a una princesa que los búlgaros habían secuestrado. Los lombardos sabían que Lamissio no era un cobarde, por lo que cuando la amenaza planteada por los hunos se hizo grave, su gente sabía que su líder estaba obrando en su mejor interés. Prosperaron en sus nuevas tierras y se convirtieron en una fuerza dominante durante el siguiente siglo.

## Una Guerra perdida y un Nuevo Reino

A mediados del siglo VI, los lombardos necesitaban un nuevo líder por lo que Audoin subió al poder. A diferencia de los líderes anteriores, Audoin se interesó más en desarrollar un sistema militar impresionante y organizado. Audoin estableció un ejército basado en el parentesco basado en los sistemas de otras tribus exitosas a su alrededor. En la parte superior de cada unidad había un miembro de la nobleza, como un duque o un conde, y las personas por debajo de ellos estaban en gran medida relacionadas con el líder. Esto generaba una mejor conexión y sentido de camaradería entre los soldados y su líder.

Audoin pudo probar su nuevo sistema militar durante un conflicto de veinte años con los gépidos, una tribu relacionada con los godos. Fue su hijo, Alboino, quien finalmente terminó la guerra exhaustiva haciendo una alianza con los avares. Eran una tribu vecina de los gépidos, dando a Alboino algo de apoyo y creando otro frente contra los gépidos. En 567 d. C., Alboino, sus hombres y sus aliados mataron a Cunimundo, el último rey de los gépidos, y algunas fuentes dicen que Alboino convirtió el cráneo del rey en una copa.

Después de esa victoria, los avares esperaban que Alboino cumpliera con su acuerdo de que todas las tierras de Cunimundo se convertirían en tierras de los avares. Esto pronto resultó ser un grave error por parte de Alboino porque los avares eran mucho más controladores que los gépidos. El único beneficio real que obtuvieron los lombardos fue el matrimonio de la hija de Cunimundo, Rosamund, con Alboino, un matrimonio que fue forzado, pues ella era la hija del líder del bando perdedor. Al ver que habían salido peor parados después de su esfuerzo de veinte años, Alboino supo que incluso la alianza matrimonial con los gépidos no fortalecería a su pueblo para enfrentarse a los avares ahora dominantes. En lugar de instigar otra guerra prolongada sin garantía de éxito, Alboino decidió que era hora de que su gente abandonara el área. Dado que varios de sus militares habían servido en el norte de Italia, se recomendó ir allí para su reasentamiento. Los hombres recordaban que la región era muy verde y fértil, lo que debería haberlo hecho ideal para restablecer su estilo de vida agrario.

Alboino y su ejército se habían beneficiado enormemente de los años de guerra y servicio a otras tribus y los restos del Imperio romano. A medida que avanzaban por el norte de Italia, los lombardos pudieron tomar fácilmente el control de muchas de las ciudades a su paso. Para ser justos, es importante señalar que no hubo mucha resistencia contra ellos. La única excepción a esto fue Pavia, donde los lombardos pasaron tres años luchando antes de que finalmente salieran victoriosos. Su marcha y sujeción de los territorios italianos había terminado en 572 d. C., y tenían casi toda Italia bajo su control. Alboino dividió la vasta extensión de sus nuevas tierras en 36 ducados, o territorios, con un duque para gobernar sobre cada uno de ellos. Cada uno de estos duques estaba subordinado a Alboino y tenía que informarle directamente sobre el estado de su ducado. Alboino se instaló en Verona y comenzó a centrar su atención en mantener estas nuevas áreas seguras de los francos al oeste y del Imperio bizantino al este. Dejó que sus duques manejaran a sus ducados y, como era de esperar, algunos eran mucho más hábiles que otros. Hubo un nivel dispar de éxito en todo el reino lombardo, creando una atmósfera más divisiva en todo el reino que la unidad que la herencia compartida debería haber tenido.

Con su atención en otros lugares y sus duques más preocupados por ayudar a sus respectivas regiones a prosperar, nadie estaba buscando el reino en su conjunto. Esto creó una vulnerabilidad que ninguno de ellos había previsto y que había tardado mucho tiempo en que Rosamund nunca había aceptado a Alboino como su esposo o gobernante. Había causado la muerte de su padre y la había obligado a casarse con él, el hombre que había hecho una copa de vino con el cráneo de su padre. Ella comenzó a ayudar a planear el asesinato de su esposo, y tuvo éxito en 572 d. C. Sin una figura principal para dirigir el Reino lombardo, el reino ya fracturado comenzó a mostrar las principales grietas que eran características del tipo de gobierno que lo controlaba.

## Los Temores de Alboino se hacen realidad

Los lombardos eran cristianos como muchas de las otras tribus germánicas. Sin embargo, eran cristianos arrianos, una de las formas heréticas del cristianismo según el Concilio de Nicea. Los cristianos arrianos siguieron las enseñanzas de Arrio de Alejandría, y no creyeron en la Santísima Trinidad que se hizo parte del cristianismo ortodoxo durante el concilio. Uno de los mejores ejemplos de una religión cristiana arriana hoy en día son los Testigos de Jehová. Esta fue otra diferencia entre los lombardos y los pueblos de las áreas circundantes, lo que los puso en desacuerdo religioso con los francos y el Imperio bizantino.

Sin embargo, el Imperio bizantino tenía otra razón para atacar el reino. Después de la muerte de Teodorico el Grande en 526 d. C., el imperio oriental trató de recuperar el área que había sido el centro del Imperio romano. El intento fue costoso, tanto en términos de dinero como de recursos. Con una duración de casi treinta años (del 526 al 555 d. C.), solo hubo unos pocos períodos de tiempo en que el Imperio bizantino no participó en la lucha contra los ostrogodos que se habían apoderado de Italia. Durante este tiempo, se aliaron con los lombardos para ayudar a recuperar las tierras. Cuando los lombardos decidieron establecer su propio reino en la región que el Imperio bizantino había gastado tanto esfuerzo para reclamar, el Imperio bizantino actuó rápidamente para contrarrestar a los lombardos. El Exarcado de Rávena fue creado por el emperador Maurice para recuperar las tierras. Desafortunadamente para el Imperio bizantino, la gente de la región no tenía interés en luchar contra los lombardos porque estaban muy familiarizados con la forma en que serían tratados bajo el imperio. El Exarcado no pudo aumentar el tipo de fuerza necesaria para derrotar a los lombardos, lo que hizo que el esfuerzo se desperdiciara casi por completo.

Después de la muerte de Alboino, los duques se centraron en sus pequeñas disputas durante varios años. Sin embargo, con la formación del Exarcado en el 582 d. C., finalmente tuvieron una razón para trabajar juntos. En 584 d. C., eligieron un nuevo rey llamado Autario para abordar la amenaza. Más tarde ese año, Autario derrotó a las fuerzas que el Imperio bizantino había enviado para atacar a los lombardos. Sin embargo, esta victoria fue de corta duración, ya que Autario perdería terreno y aterrizaría al año siguiente ante el Imperio bizantino.

Autario recurrió a la esperanza de forjar una alianza con los francos al oeste de Italia. Las negociaciones matrimoniales comenzaron con el rey Childeberto II por la mano de su hija. Cuando esas negociaciones fracasaron, el rey franco entregó a su hija a uno de los reyes visigodos. Aunque los francos y el Imperio bizantino habían sido enemigos durante mucho tiempo, formaron una alianza tentativa para eliminar a los lombardos de Italia. En 590 d. C., comenzó una invasión completa de Italia. Los francos demostraron ser aún más amenazantes que el imperio cuando comenzaron a tomar el control de las principales ciudades italianas, aunque estaban posicionados directamente al oeste de Italia mientras el Imperio bizantino estaba considerablemente más al este.

Con la esperanza de poder ganar algunos aliados, Autario se casó con la hija de uno de los duques bávaros. Sin embargo, nunca obtuvo la ayuda que quería porque murió en 590 d. C. Uno de sus primos, Agilulfo, pronto asumió la posición de liderazgo. Después de casarse con la viuda de Autario, Agilulfo intentó hacer las paces con los francos, y tuvo éxito. Sin que los francos invadieran su oeste, Agilulfo pudo fortalecer las fronteras del reino lombardo para que no fueran vulnerables a los esfuerzos del imperio por recuperar Italia. Su siguiente gran tarea fue reducir la cantidad de poder que tenía cada uno de los duques, consolidando el control del país bajo el rey.

El Imperio bizantino pronto abandonó su búsqueda para reclamar Italia mientras los ávaros y los eslavos los atacaban al oeste y los persas al sur. Su ejército ya estaba demasiado disperso, y no tenían los recursos necesarios para recuperar y controlar Italia.

Entonces, sin grandes enemigos, el Reino Lombardo comenzó a prosperar y logró la paz. A pesar de que los lombardos eran cristianos arrianos y la mayoría de la población italiana original era trinitaria, es decir, una de las principales religiones que ayudarían a formar el catolicismo romano después del Gran Cisma, pudieron mantener una paz cómoda. Las ideologías religiosas eran menos divisivas de lo que ambos pueblos ya habían experimentado, y los lombardos habían demostrado repetidamente que eran más capaces de vivir en un marco de paz que de guerra. Los italianos habían visto aparecer a varios conquistadores e implementar leyes e impuestos que eran mucho más perjudiciales para su existencia que las diferencias entre su religión y la de los lombardos. Fue una paz increíblemente única que ayudó a dar forma a Italia porque, aunque los italianos y los lombardos trabajaron juntos a pesar de sus diferencias religiosas, otros territorios se estaban desgarrando debido a ello. Agilulfo también fue un táctico astuto en lo que respecta a la política, y aceptó que sus hijos fueran bautizados en la religión italiana en lugar de la suya.

Esta paz también provocó cambios en los lombardos. Comenzaron a adoptar un estilo de vida que era más similar a los italianos en lugar de mantener su herencia germánica. Desde su vestimenta hasta sus armas, los lombardos se parecieron más a los romanos antes de la caída del Imperio romano de Occidente, llegando incluso a darles a sus hijos nombres romanos. Aunque no se habían apoderado de toda la Italia moderna, los lombardos controlaban todo el norte y el centro de la región. El Imperio bizantino solo retuvo el control sobre la porción sur y Roma. Con el tiempo, los lombardos comenzaron a reclamar la mayor parte del resto de Italia, aunque nunca lograron tomar Roma ni algunas de las provincias más pequeñas del sur que estaban controladas por el Imperio bizantino.

## La Historia se repite

Si bien la mayor parte del Reino de Lombardía experimentó paz y crecimiento, la posición de rey comenzó a cambiar de manos con demasiada rapidez. Agilulfo murió en 616 d. C. y fue sucedido por su esposa hasta que su hijo alcanzó la mayoría de edad. El nuevo rey continuó con la tolerancia de su padre, lo que molestó a su cuñado, quien luego lo depuso. Este nuevo rey murió en el 636 d. C. y fue sucedido por Rotario. Fue durante su reinado que el Reino lombardo finalmente se expandió, eliminando la mayoría de las fortalezas del Imperio bizantino. Su hijo tomó el trono después de la muerte de Rotario, pero no duró mucho, ya que sus enemigos lo asesinaron poco después de su ascenso al poder.

Este enfoque en el control demostró ser tan revelador sobre el futuro del Reino lombardo como lo había sido sobre todas las demás civilizaciones anteriores, incluida Roma. Después de la muerte del último rey, el reino se dividió en Milán y Pavía. Estos dos bandos no solo lucharon entre sí por el control, sino que también lucharon contra las tribus eslavas que continuaron atacando sus fronteras. Un último gran rey surgiría, el Rey Liutprando en el 712 d. C. Durante su reinado, el reino se expandió y se formó una nueva alianza con los francos. El Reino de Lombardía pudo experimentar la paz y la prosperidad una vez más bajo su reinado, que terminó en el 744 d. C. Fue seguido por gobernantes ineficaces que se centraron en el beneficio personal sobre la estabilidad y la seguridad del reino.

Luego, el Rey Desiderio expulsó al Imperio bizantino de Italia durante la primera parte de la década de 770, pero rápidamente perdió el control del Reino lombardo al amenazar al papa Adriano I. Esto le valió la ira de Carlomagno, que rompió la alianza que se había forjado bajo el gobierno de Liutprando. Desiderio no tenía ninguna posibilidad, y en 774 d. C., fue derrotado por el legendario Carlomagno, poniendo fin al gobierno de los lombardos sobre Italia. Algunos de los duques efectivos lograron mantener el control sobre sus pequeños territorios, pero ya no había un gobierno central o un gobernante primario. En cambio, se convirtieron en parte del Reino franco.

# Capítulo 7: Carlomagno

Uno de los nombres más conocidos que surgió a principios de la Edad Media fue el de Carlomagno. Incluso si usted no sabe exactamente lo que logró, probablemente esté al tanto de su destreza militar y de que conquistó una parte considerable de Europa. Por supuesto, el Imperio bizantino aún mantenía vivo a gran parte del Imperio romano, pero la porción occidental del imperio estaba dividida en tantos pequeños reinos, territorios, tierras y ducados que parecía casi imposible que alguna vez se convirtieran en un imperio de nuevo.

A pesar de lo imposible que parecía la tarea, Carlomagno tomó el control de la región de su pueblo y también conquistó las áreas circundantes que se habían convertido en territorios de otras tribus germánicas. Su habilidad para atraer seguidores y llevar a su gente a la victoria se volvió legendaria, y por un breve momento, parecía que incluso podría lograr lo que nadie pensó que sería posible otra vez: la restauración de un imperio que rivalizaría con el de Roma.

Desafortunadamente, ese rayo de esperanza murió con Carlomagno. Su destreza militar y liderazgo inspirador no pudieron ser igualados por nadie que lo sucediera, y el imperio que había comenzado a construir rápidamente se derrumbó sin él.

## El Mundo en el que nació un Líder

A primera vista, sin una ciudad fuerte para mantener las tierras unidas, Europa occidental se convirtió en poco más que un grupo de tribus y estados en guerra. La verdad es que no cambió mucho realmente después de la caída de Roma. Algunos lugares continuaron usando dinero romano, y muchas áreas continuaron haciendo cumplir las mismas leyes; sin embargo, pusieron en práctica sus propias culturas y celebraron sus propias versiones del cristianismo o sus religiones paganas.

Las personas que habían estado en el poder bajo el Imperio romano de Occidente vieron el colapso del imperio como la oportunidad que necesitaban para obtener el poder que nunca podrían haber tenido si Roma no hubiera caído. En lugar de tratar de encontrar un terreno común, lucharon para colocar regiones bajo su control. Otros lugares que habían sido parte del imperio lo vieron como una oportunidad para volver a ser como antes, particularmente las tribus germánicas que habían luchado contra los romanos. Algunas de las comunidades conquistadas nunca se habían aclimatado por completo a la forma de vida romana, y la transición de regreso a la forma en que habían sido las cosas fue mucho más fácil que tratar de perpetuar una cultura que no querían.

A medida que el antiguo Imperio romano de Occidente continuó fracturándose y astillándose en diferentes territorios y reinos, muchas de las innovaciones y progresos que habían realizado los romanos comenzaron a deteriorarse. Muchas de las regiones que estaban muy alejadas de Roma sufrieron una gran transformación, ya que no habían cambiado mucho bajo el dominio romano, pero cuanto más cerca estaba de Roma, más tenían que perder. Ya no se mantuvieron innovaciones como las carreteras, y para los lugares cercanos a Roma, los sistemas de riego comenzaron a fallar y colapsar. No había muchos ingenieros o mecánicos que pudieran repararlos porque la gente ahora estaba centrada en luchar por sobrevivir en lugar de cumplir sus antiguos roles bien definidos en la sociedad. No ayudó que muchas personas bien educadas huyeran a Constantinopla, sin dejar a nadie atrás con el conocimiento y la experiencia para hacer las reparaciones necesarias. Estas estructuras en realidad comenzaron a deteriorarse porque los emperadores posteriores tendían a ignorar las carreteras y los sistemas de agua porque eran demasiado caros de mantener. Sin una fuente central para financiar y monitorear estos avances, la tecnología se perdió durante siglos.

La falta de un gobierno central también significaba que los pueblos germánicos que alguna vez habían residido en los límites del imperio ahora eran libres de establecerse donde quisieran. Habían comenzado a mudarse a los territorios bajo el control romano durante la Gran Migración, por lo que esa tendencia simplemente continuó después de la caída de Roma. El Imperio bizantino intentó restaurar partes del antiguo imperio en sí mismo, pero se encontró con una victoria marginal sobre las tribus germánicas que continuaron avanzando hacia el sur. Dejaron en gran medida que las tribus germánicas se establecieran como quisieran porque no representaban un gran problema para el Imperio bizantino.

Esto fue cierto hasta mediados del siglo VIII cuando surgió un nuevo líder.

## Nacimiento y surgimiento del Nuevo Emperador

El nacimiento de Carlomagno no era un indicativo de cómo sería su futuro. Aunque su padre era el Rey Pipino el Breve, el trono que se convertiría en el de Carlomagno, si sobrevivía hasta la edad adulta, no era un reino importante, ya que Pipino gobernó sobre los francos, que vivían en lo que ahora es Bélgica. Pipino celebró el nacimiento de Carlomagno, su primer hijo, en 742 d. C. Cuando Pipino murió en 768 d. C., Carlomagno tenía 24 años. Se suponía que él y su hermano, Carloman I, gobernarían conjuntamente, pero ese plan se hizo añicos en el 771 EC cuando el hermano de Carlomagno murió repentinamente.

Carlomagno se había interesado en el ejército a una edad temprana y demostró ser un experto táctico y líder. No le llevó mucho tiempo aplicar sus conocimientos y habilidades para expandir el control franco. Uno de los primeros reinos principales contra los que se enfrentó Carlomagno fueron los sajones. Los sajones, que despreciaban a los cristianos y eran crueles con los que residían en su reino, eran una amenaza que Christian Carlomagno no podía permitirse ignorar. Un año después de la muerte de su hermano, Carlomagno dirigió una campaña en los territorios sajones. El resultado final fue el control total sobre los antiguos territorios sajones y la conversión forzada de los sajones a la religión que tanto odiaban.

Habiendo probado el éxito contra un oponente formidable, Carlomagno parecía estar destinado a controlar otras regiones. Girando hacia el sur, tomó el control de Italia. En 778 d. C., dirigió un ejército a España y comenzó a expulsar a los musulmanes de Europa. En doce años, pudo unir una gran franja de Europa bajo el dominio franco. No había oponentes que pudieran resistir sus asaltos, y con el tiempo, muchos no tenían ningún interés en desplazarlo.

La rebelión romana de 800 d. C. puso en peligro la vida del papa León III. Sabiendo que Carlomagno era un cristiano practicante, el papa solicitó su ayuda para sofocar la rebelión. El problema había comenzado con la muerte del papa Adrián I. Uno de sus parientes, Pascual, pensó que debía convertirse en el próximo papa, ignorando el hecho de que el cargo no era hereditario. Cuando alguien más fue nombrado para hacerse cargo de la cabeza de la Iglesia, reunió a la gente para que lo ayudaran a asesinar al nuevo papa, el papa León III. Pascual y sus seguidores atacaron al nuevo papa durante una procesión y dispersaron a la multitud que había venido a interactuar con él. Ellos salvajemente mutilaron al papa tratando de cortarle la lengua y apuñalar sus ojos. Aunque resultó gravemente herido, Leo no fue asesinado durante este primer intento, ni fue asesinado durante un segundo intento por los cómplices de Pascual cuando los atacantes se dieron cuenta de que el papa había huido a una capilla y estaba vivo.

Obligado a abandonar la ciudad, Leo buscó a Carlomagno para que lo ayudara a restaurarse en su posición como jefe de la Iglesia en Roma. Carlomagno obedeció y escoltó al papa de regreso a la ciudad. Una vez que el papa estuvo dentro de los muros de Roma, los asaltantes comenzaron a atacar verbalmente al papa, acusándolo de todo lo que se les ocurrió. La discusión no llegó a ninguna parte y Carlomagno emitió un juicio y pidió la muerte de los conspiradores. El papa se negó a cumplir esta decisión y, ofreció misericordia a quienes lo habían perjudicado. En cambio, las personas que habían participado en el ataque fueron exiliadas.

A pesar desatender la decisión de Carlomagno, el papa agradeció su ayuda. Lo que sucedió después fue lo que hizo que el Imperio bizantino se interesara más por lo que estaba sucediendo en Europa occidental. Por primera vez desde la caída de Roma, un emperador fue coronado. El papa Leo ofreció el título y una ceremonia a Carlomagno como una forma de agradecerle al franco por su ayuda. Esto se hizo sin consultar ni siquiera informar al emperador bizantino. Las acciones del papa establecieron una precedencia increíblemente peligrosa: la capacidad de coronar a un nuevo emperador basado en sus propias decisiones sin el aporte de nadie más. Este era un tipo de poder que nadie en Europa occidental había tratado de reclamar antes, y se hizo sin ninguna base en la tradición o la ley. Europa occidental estaba compuesta por muchos tipos de cristianos, y el papa no tenía autoridad sobre muchos de ellos. Sin embargo, ahora aparentemente reclamaba el derecho de seleccionar emperadores sobre regiones que no eran suyas, uniéndolos ahora bajo Carlomagno.

Carlomagno mantuvo una fuerte relación con el papa León III, y tal vez no sea sorprendente que después de que Carlomagno muriera, la posición de Leo se viera nuevamente amenazada. Aquellos que querían ver al papa retirado del poder sabían que ya no tenía protección debido al vacío de poder creado por la muerte de Carlomagno. En este punto, sin embargo, el papa tenía un grupo más grande de seguidores y protectores, y cuando los conspiradores lo atacaron nuevamente, no ofreció la misma misericordia. En cambio, condenó a muerte a todos los que conspiraron contra él.

## Reformas necesarias para la unificación de la gente

Fue desafortunado que el imperio provisional creado por Carlomagno no persistiera más allá de su gobierno, porque promulgó una serie de cambios que beneficiaron enormemente a las personas bajo su control. Su reinado a menudo se conoce como el Renacimiento carolingio, llamado así por la dinastía que comenzó su padre. Todos los sistemas vitales de la sociedad fueron reformados para trabajar en todas las tierras bajo su control: el ejército, el gobierno, el sistema monetario y la religión. Esto les dio a las personas bajo su gobierno una razón para unirse porque ahora había una sola persona con el control y una que implementaba cambios que les facilitaban la vida.

También hubo un renacimiento literario que siguió a las obras del Imperio romano del siglo IV. Es probable que muchas de las innovaciones arquitectónicas que ocurrieron durante la segunda mitad de la Edad Media se inspiraran en el arte y la arquitectura que comenzaron bajo el dominio de Carlomagno. También alentó la lectura y los estudios de las Escrituras. Desafortunadamente, este renacimiento cultural se limitó a las élites que fueron las más beneficiadas con ese renacimiento.

Sin embargo, Carlomagno no era reacio a aprender lo que otras culturas podían ofrecer. Aprendió de otros pueblos que vivían a lo largo de sus fronteras, como los lombardos, musulmanes y anglosajones, a medida que fue teniendo contacto con ellos. Las obras clásicas se conservaron y se volvieron a copiar para que no se perdieran en el tiempo. Muchas de estas obras todavía existen en la actualidad, gracias a su previsión para garantizar que no desaparecieran.

Su reforma económica fue el cambio más práctico durante su reinado. Continuó las reformas que su padre había comenzado y finalmente se deshizo del sistema de oro. Optó por trabajar con el rey Offa, el rey anglosajón de Mercia, para establecer un sistema basado en un metal que fuera más común que el oro que era increíblemente raro. El nuevo sistema era la libra carolingia basada en la plata.

Sus otras reformas ayudaron a remodelar Europa occidental, aportando una perspectiva más unificada a todos los sistemas principales. Fue como un reinicio suave del Imperio romano, pero no duraría. Sin Carlomagno, no había imperio. Algunas de sus reformas continuaron, pero algunas se perdieron cuando la gente nuevamente comenzó a tratar de reclamar poder para ellos mismo en lugar de trabajar juntos para continuar creciendo y prosperando.

# Capítulo 8: El Tratado de Verdún y la dinastía Rurik: El principio de las naciones modernas

El imperio de Carlomagno comenzó a disolverse poco después de su muerte. Su hijo, Luis el Piadoso, pudo mantener el imperio en marcha, pero los problemas que habían comenzado durante el reinado de su padre se exacerbaron y además se agregaron nuevos problemas de su propia creación. El inicio del fin del imperio unificado de Carlomagno se originó cunado Luis El Piadoso decidió dividir el imperio en tres territorios diferentes para que sus tres hijos restantes gobernaran.

Al igual que los lombardos, Luis dividió su reino en subreinos para que fueran más fáciles de gobernar. Durante los últimos años del reinado de Carlomagno, la rebelión y la corrupción comenzaron a manifestarse. Carlomagno incluso expresó su desilusión por la forma en que las cosas se habían deteriorado cuando preguntó a sus compañeros más cercanos si la gente realmente era cristiana, ya que la corrupción y el comportamiento de la gente no se ajustaban a sus ideas sobre cómo debería actuar un pueblo cristiano gobernado por esa religión.

El hijo de Carlomagno, Luis el Piadoso, se convirtió en el gobernante después de su muerte en 778 d. C. Luis se había tomado en serio las preguntas de Carlomagno sobre la gente y se había centrado en reformar el imperio para alinearlo más con los valores cristianos, lo que le valió el nombre de Luis el Piadoso. Desarrolló un plan para la forma en que quería que el cristianismo ayudara a moldear las leyes y la cultura de las personas en el imperio. A pesar de los esfuerzos de algunas personas dentro del imperio que querían eliminarlo, Luis pudo mantener el imperio de su padre intacto en gran parte.

Su mayor problema era tratar de decidir su sucesor. Luis tuvo tres hijos: Pipino, Luis "el alemán" y Lotario. Cuando tuvo un cuarto hijo en 823 d. C. con su segunda esposa, algunos de sus súbditos lo usaron para ayudar a molestar a sus tres hijos. Sus hijos, algunos nobles conspiradores, y el papa Gregorio IV atrajeron a Luis a una reunión donde trataron de forzar su abdicación. Teniendo pocas opciones, accedió y renunció en 833 d. C. Esto demostró tener el efecto contrario de lo que esperaban los conspiradores, ya que pronto se hizo evidente que la regla de sus tres hijos, el papa y los nobles no era una mejora. En 834, la gente no solo había decidido que sus hijos habían maltratado a Luis, sino que los hijos y las personas que los apoyaban no tenían idea de cómo gobernar sus territorios. Las pequeñas luchas internas no fueron el peor problema, ya que la violencia en todo el reino creció después de la abdicación de Luis, y la población comenzó a exigir que Luis fuera restaurado.

Luis volvió al poder en marzo del 834, y castigó a quienes habían instigado su abdicación, aunque sus tres hijos seguían siendo sus herederos designados. Sin embargo, Luis decidió darle la región de Aquitania a su cuarto hijo, Carlos, después de la muerte de su hijo mayor, Pipino, en 838 d. C. Lotario recibió Italia, y en lugar de causar más problemas a su padre, Lotario puso todas sus energías en gobernar su territorio. En 839 d. C., Luis logró algo que Carlomagno no había logrado: el emperador bizantino Teófilo le otorgó el reconocimiento como un gran líder del pueblo. También elogió a Luis por su fuerte defensa del cristianismo, aunque las versiones occidental y oriental de la religión ya se estaban separando. A pesar de sus diferencias, ambos hombres todavía eran cristianos, y se dieron cuenta de que era más importante enfocarse en eso que en sus diferencias. Luis el Piadoso murió al año siguiente en junio de 840 d. C.

En lugar de seleccionar a una sola persona para heredar y gobernar el imperio, Luis optó por dividirlo. Si bien esta decisión estaba más alineada con las tradiciones francas, la decisión de Carlomagno de mantener unido al imperio resultó ser una opción más estabilizadora. La decisión de Luis de dividir la nación terminó siendo mucho más perjudicial para la unidad general de las tierras. Los hijos ya habían demostrado que no podían trabajar juntos para gobernar cuando habían obligado a su padre a abdicar. Una vez que Luis ya no era un factor unificador, las disputas que habían marcado el tiempo anterior de sus hijos como líderes solo se amplificaron.

## Una Guerra abierta y un intento de resolver su herencia

El hijo menor de Luis I, Carlos, heredó la región de Aquitania, algo que Luis el alemán, había tratado de bloquear cuando la decisión se emitió originalmente. Este había sido el territorio de su hermano Pipino antes de su muerte, y Luis el alemán había querido obtener parte o casi todo del territorio después de la muerte de Pipino. Sin embargo, sus intentos de cambiar la mente de Luis I fracasaron y Carlos se convirtió en el futuro líder de Aquitania. Luis, el alemán, no estaba contento con su gran dominio sobre el territorio de Baviera, pero no había mucho que pudiera hacer mientras su padre todavía estaba vivo.

A pesar de sus intentos anteriores de evitar que Carlos ganara su propio territorio, Luis el alemán, decidió ponerse de su lado después de la muerte de su padre. La decisión fue necesaria porque una vez que su padre ya no estaba, Lotario decidió que quería reclamar el poder que habría sido suyo si él y sus hermanos no hubieran forzado la abdicación de Luis. No dispuestos a renunciar a su herencia, Luis y Carlos lideraron una guerra civil contra su hermano, que comenzó poco después de la muerte de Luis. Esta sangrienta guerra civil duró hasta 843 d. C. Después de que Luis y Carlos derrotaron por primera vez a Lotario en Fontenay en 841, lo obligaron a huir a Aix-la-Chapelle y sabiendo que no podía ganar, Lotario buscó la paz.

El Tratado de Verdún se firmó en 843 y resultó en que Lotario conservara su título de emperador, pero no tenía control sobre las acciones de sus hermanos como líderes de sus propias tierras. Carlos fue designado como el gobernante sobre la región occidental, en un área que hoy incluye a Francia. Lotario mantuvo la región media del imperio, y pudo avanzar en el trabajo que había hecho en Italia mientras su padre todavía estaba vivo y Luis tomó la porción oriental del imperio.

Carlos parecía haber tenido la posición más precaria porque los vikingos estaban ubicados dentro de sus territorios, y constantemente estaban librando batallas y arrasando ciudades. Sin embargo, pudo mantener su reino intacto y transmitirlo a su hijo después de su muerte.

Luis el alemán, decidió dividir sus tierras aún más en lugar de seleccionar un solo sucesor. La división de un tercio del reino degradó aún más la unidad que Carlomagno había buscado.

La región de Lotario parecía ser la menos estable debido a conflictos internos. También dividió su reino entre sus hijos, y demostraron ser tan polémicos entre sí como Lotario y sus hermanos. Su constante guerra entre ellos llevó a esta porción del imperio a la ruina.

En última instancia, la división del imperio en tercios se desarrolló de una manera que ayudó a dar forma a la Europa actual. La región que cayó en manos de Carlos se convirtió en el país que ahora conocemos como Francia, mientras que el reino de Louis se convirtió en el Sacro Imperio romano y, finalmente, en Alemania. Parte de ese territorio incluía la región que estaba bajo el control de Lotario. Sin embargo, la porción del reino de Lotario eventualmente se convirtió en Italia. El Imperio bizantino aún controlaba la parte sur de la Italia actual en ese momento, y retuvieron ese control por un tiempo más.

## La Dinastía Rurik

Mientras que los francos y las tribus germánicas lucharon por los territorios en la mayoría de las regiones del sur y centro de Europa, en gran parte dejaron sola la zona norte. Sin embargo, había algunos que no estaban tan disuadidos del intento de ocupar esta región, a pesar de lo fría y desolada que parecía ser. El jefe varangiano Rurik fue uno de los pocos que vio el potencial de la región en gran parte ignorada en el norte.

No se sabe mucho sobre Rurik porque la historia no se escribió, y con el tiempo, se ha vuelto imposible saber lo que es mito y lo que es un hecho real. Es posible que él fuera de uno de los asentamientos vikingos y que eligiera ir al norte porque no era tan perjudicial para su gente como lo era para la gente de la mitad inferior del continente. Sin embargo, esto es solo especulación, ya que no hay registros de su linaje o historia.

Según las leyendas de la fundación de la Rusia moderna, Rurik llevó a su pueblo al norte a Ladoga en 862 d. C. Rurik y su tribu comenzaron a construir un asentamiento que los protegería durante los duros inviernos. El asentamiento de Holmgard se construyó en el transcurso de los siguientes años. Según los descubrimientos arqueológicos, es probable que este primer asentamiento se encuentre al sur de la ciudad de Novgorod. Aunque Rurik es el más notable de la dinastía, sus dos hermanos también son recordados como los fundadores de la dinastía, a menudo referidos como la dinastía Rus. Según la leyenda, Rurik murió en 879 y fue sucedido por Oleg, un pariente. Bajo el dominio de Oleg, el territorio de los Rus se expandió hacia el sur. Oleg atacó a los jázaros en Kiev y salió victorioso. Kiev estaba más desarrollado que los humildes comienzos del territorio de Rus, por lo que Oleg decidió que se convertiría en una segunda capital. En el futuro, el heredero aparente de la dinastía controlaría el asentamiento original, que se convertiría en la ciudad de Novgorod, pero residiría en Kiev. Durante el siglo siguiente, la dinastía absorbió a muchas de las tribus circundantes. Las diferentes culturas e ideologías ayudaron a perpetuar las divisiones y fracturas, pero la dinastía Rus continuó creciendo con los años, y finalmente se convirtió en la Rusia moderna.

# Capítulo 9: Alfredo El Grande

Al igual que muchos de los hombres que llegaron al poder durante la Alta Edad Media, Alfredo el Grande, Rey de Wessex, no parecía un candidato probable para el trono en lo que ahora es Gran Bretaña. Siendo el quinto hijo del rey Æthelwulf de los sajones occidentales, no fue una de las primeras opciones para convertirse en rey. Su propio desinterés parecía más que suficiente para evitar que ascendiera a la posición de liderazgo más alta en la isla que algún día se convertiría en Gran Bretaña.

Quizás fue este desinterés lo que lo convirtió en un gran líder. A diferencia de muchos de los otros hijos de Æthelwulf que eran gobernantes débiles o ineficaces, o peor, activamente destructivos, Alfredo aceptó el gobierno que no quería y luego sobresalió en hacer su trabajo. Como uno de los primeros gobernantes notables en la isla, Alfredo el Grande pudo proteger su reino de las invasiones repetidas y también reformar muchos sistemas establecidos para ser más eficientes. Su reinado dejó una marca indeleble en la isla que algún día formaría uno de los imperios más grandes del mundo.

## Los Primeros años de su vida y su ascenso al poder

Los primeros años de la vida de Alfredo fueron bastante típicos de alguien nacido en la clase alta de la isla. Nacido entre 847 y 849 d. C., fue el quinto hijo de Æthelwulf de Sajonia Occidental. Su interés estaba en la educación, particularmente en la literatura, pero es probable que su única educación inicial fuera en el ejército. Como hijo de un rey, la estrategia militar era ciertamente algo que él esperaría saber, incluso si no se lo consideraba un candidato para el trono. En 868, estaba en servicio activo en el ejército y se unió a su hermano el Rey Æthelred I, para ayudar al Rey Burgred de Mercia, otro pequeño reino en la isla. Los daneses, más conocidos hoy como vikingos, habían llegado a Anglia Oriental alrededor de 865, y para 867, habían tomado el control de Northumbria. Sin embargo, los daneses se negaron a luchar, y se negoció una paz. En 871, los daneses nuevamente comenzaron a expandir su alcance sobre la isla, atacando a Wessex. Alfredo nuevamente se unió a su hermano, y se involucraron en varias batallas contra las fuerzas danesas. Cuando Æthelred murió ese mismo año, Alfredo fue el siguiente en la fila para el trono. Sin embargo, no encontró el éxito en su primera batalla contra los daneses como el nuevo rey. La paz que siguió a la Batalla de Wilton dio a los invasores daneses tiempo para detenerse y considerar sus opciones. Si bien no habían fracasado en la batalla, las fuerzas de Sajonia Occidental demostraron ofrecer más resistencia de la que los daneses probablemente habían anticipado. Durante los siguientes cinco años, los daneses esperaron instigando más batallas contra el nuevo rey.

## Reanudación de hostilidades

En 876, los daneses estaban listos para reanudar su asalto en la región suroeste de la Inglaterra moderna. Sus ataques comenzaron en 876, pero se retiraron por un tiempo en 877 porque habían logrado muy poco con sus escaramuzas. Quizás los cinco años que se habían abstenido de atacar a Alfredo y su ejército los hicieron subestimar a su oponente, o tal vez durante ese tiempo Alfredo había pasado más tiempo asegurándose de que su ejército estuviera listo para la batalla. Debido a que los daneses habían sido tan problemáticos durante toda su vida, hay pocas dudas de que Alfredo sabía que intentarían expandirse nuevamente en su reino.

Una tercera explicación podría ser que los daneses querían ganar con el elemento sorpresa. El año 878 apenas había comenzado cuando atacaron nuevamente a Wessex. Durante ese impulso inicial, pudieron tomar el control de Chippenham, lo que provocó que la mayoría de las fuerzas de Alfredo cedieran. Se dijo que todos los sajones occidentales se sometieron a los daneses con la excepción de su rey. En el transcurso de las próximas semanas, Alfredo recordó a los daneses su presencia a través de la guerra de guerrillas. Mientras perseguía a los daneses con sus ataques aleatorios, Alfredo también logró reunir suficientes hombres para tener un nuevo ejército que lo apoyara menos de dos meses después de Pascua. Con sus hombres, el rey Alfredo derrotó a los daneses en la batalla de Edington. Después de su rendición, el rey danés Guthrum acordó ser bautizado en la religión cristiana.

Después de esta última derrota, Alfredo quedó libre para controlar los otros aspectos de su reino hasta 885 cuando los daneses de Anglia Oriental comenzaron a atacar su reino. Tardó un año, pero en 886, Alfredo pudo cambiar el rumbo y ponerse a la ofensiva contra esta nueva amenaza. Cuando pudo tomar Londres, todos los británicos que no residían en tierras danesas alrededor de la ciudad decidieron reconocer a Alfredo como su verdadero rey. Puede que Alfredo no siguiera presionando a los daneses, pero su hijo, Eduardo el Viejo, pudo usar la influencia que Alfredo había ganado al tomar Londres para avanzar más en los territorios daneses después de convertirse en rey.

Una de las razones principales por las que Alfredo no continuó extendiendo su reino en la parte sur de la isla fue porque los daneses comenzaron a planear nuevas invasiones de la isla desde el continente. Esta nueva ronda de invasiones duró de 892 a 896, y Alfredo demostró, una vez más, que sus éxitos en la guerra no eran una casualidad. Su habilidad para tomar posiciones defensivas hizo increíblemente difícil para los daneses ganar un nuevo terreno. Cada vez que Alfredo tenía recursos disponibles, tenía estructuras viejas fortalecidas, y nuevas construidas en áreas más estratégicas. Se aseguró de que sus puestos defensivos estuvieran permanentemente tripulados, dejando pocas posibilidades para que los daneses lanzaran un ataque sorpresa exitoso. Alfredo comenzó a construir sus propias naves en 875, por lo que cuando llegaron nuevas oleadas de invasores, pudo enfrentarlos y hacerlos retroceder.

Una defensa segura no era su única fuerza militar. Alfredo entendió que necesitaba a los otros pueblos de la isla y mantuvo una relación positiva con los gobernantes de Mercia y Gales. Cuando necesitaban asistencia, él les brindaba apoyo, y ellos correspondían a su vez.

## Mas allá de las Guerras

Es fácil concentrarse en lo que Alfredo logró como militar, pero sus puntos fuertes fueron mucho más allá de la simple lucha. Como su interés estaba más en la educación y la literatura tradicionales, aprendió a gobernar basándose en lo que habían hecho otros grandes gobernantes. Utilizó el ejemplo de gobernantes como Carlomagno para reestructurar los diferentes sistemas del reino, como los sistemas financieros y de justicia, haciéndolos más eficientes.

También tenía la intención de asegurarse de que aquellos en el poder no explotaran u oprimieran a las personas débiles o de clase baja de su reino. La práctica de pelear estaba restringida; no podía ser completamente prohibida, ya que era parte de la cultura, pero sí buscó minimizar el derramamiento de sangre que derivó de la práctica.

Sin embargo, fue su reverencia por el aprendizaje lo que realmente distinguió a Alfredo de otros líderes. Él creía que las incursiones vikingas eran una señal del dios cristiano de que la gente necesitaba arrepentirse de sus pecados. Mientras pecaran, los vikingos continuarían atacando. Durante el período de paz entre 878 y 885, hizo que los eruditos se unieran a él en la corte para que pudieran impartir más conocimiento e instruirlo a él y a otros en latín. Sin embargo, alentó todo tipo de aprendizaje. Sabía que si la gente entendía los diferentes sistemas y puntos de vista que otros tenían, sería mucho menos probable que las personas pelearan entre sí. Requirió que todos los hombres libres que tuvieran tiempo de aprender a leer inglés pudieran leer libros que les proporcionaran conocimientos útiles y religiosos.

Aunque era un líder militar muy capaz, fueron los cambios que realizó dentro del propio imperio para mantener a su pueblo a salvo de los repetidos ataques lo que le valió a Alfredo el epíteto "el Grande". Más que un simple estratega militar bien informado, Alfredo fue un humanitario y buscó mejorar la vida de las personas en toda Inglaterra. Sería recordado durante siglos como el rey ideal.

# Capítulo 10: Otón 1 y la fundación de la Federación Laxa

La muerte de Carlomagno resultó en que Europa Occidental nuevamente se hundiera en regiones divididas. Sin embargo, su reinado no fue el único momento en que Europa occidental se unió. Carlomagno puede ser el ejemplo más famoso, pero el emperador Otón I ganó casi el mismo prestigio y la unidad en toda Europa. A diferencia de Carlomagno, Otón I fue capaz de establecer un imperio casi permanente, conocido como el Sacro Imperio romano. Algunos historiadores citan a Carlomagno como la fuente del imperio, pero hubo una ruptura definitiva en los territorios después de su muerte. Lo que Otón estableció duró varios cientos de años, hasta bien entrada la era moderna.

El éxito de Otón I podría atribuirse a sus motivos más egoístas para establecer su imperio. Sus comienzos fueron mucho más humildes que los de Carlomagno, y tuvo que luchar para llegar a la posición de rey. Carlomagno era un hombre religioso; Otón no era particularmente religioso. Hubo una serie de diferencias entre ellos, pero en última instancia, ambos eran líderes fuertes que podían comandar un ejército y unir muchas de las tierras que alguna vez habían sido parte del Imperio romano de Occidente.

## De la Oscuridad al control Total

Hijo de uno de los duques sajones, Otón era una de las muchas personas que posiblemente podían convertirse en rey. No era una posición que le garantizara ganar tras la muerte del rey para ese momento, particularmente porque los sajones seleccionarían un rey que no era hereditario. Cuando nació en 912 d. C., era el segundo hijo de un duque. Gran parte de sus primeros años son completamente desconocidos porque su posición no era demasiado importante como para seguirle la pista.

Durante su adolescencia, Otón mostró su habilidad natural en el ejército. Se especula que inicialmente estuvo involucrado en las campañas de su padre, el rey Enrique I Fowler, contra las tribus germánicas vecinas. Cuando tenía dieciocho años, Otón se casó con Eadgyth, una dama inglesa de una familia noble, también conocida como Edith de Inglaterra. Juntos tuvieron una hija y un hijo.

Habiendo visto la capacidad de liderazgo de su hijo, el duque nombró a su hijo como su sucesor. Si bien recibió el título de Rey Enrique, el padre de Otón gobernó una pequeña porción de los territorios sajones, no todo el pueblo. Cuando Enrique murió en 936, los sajones tuvieron que aprobar la elección del difunto rey para elevar a su segundo hijo a la posición más alta. Acordaron que Otón era una buena opción, y fue elegido ese mismo año. Su coronación ocurrió en Colonia en Aachen. Esta ubicación se eligió probablemente porque se decía que era la residencia de Carlomagno, incluso después de ser coronado emperador en Italia.

Otón fue inmediatamente presionado para exhibir su destreza militar mientras sus vecinos probaban sus habilidades para ver si podían hacerse cargo de su territorio. Las peleas habrían sido perjudiciales para un líder menos capaz, pero Otón estaba preparado para pelear guerras en sus primeros años, y fue esta demostración temprana de sus habilidades lo que aseguró a su gente que él era la elección correcta. La mayor prueba de su poder en realidad provino de su propia familia. Su hermano mayor y otros miembros de la familia no estaban satisfechos porque habían sido ignorados para asumir la posición de rey, y conspiraron contra Otón en los años venideros.

Otón fue tan estricto contra su familia como lo fue contra los extraños que cuestionaron su autoridad. Su padre fue un líder aceptable, pero nunca controló completamente a su gente ni a los otros duques dentro de su dominio. Otón no tuvo el mismo problema. Tan pronto como ascendió al papel de rey, comenzó a consolidar el poder, eliminando el poder que los duques habían disfrutado y que tanto había irritado a su padre. Este movimiento finalmente benefició a Otón, pero al principio, los duques lucharon contra la pérdida del poder que habían disfrutado durante tanto tiempo.

Un año después de su coronación (937 d. C.), el medio hermano de Otón, Thankmar, formó una alianza con algunos de los otros duques que no estaban satisfechos con lo que Otón estaba haciendo. Su intento de eliminarlo terminó en una pérdida abismal. Thankmar fue asesinado durante la batalla. Uno de los duques que se había puesto del lado de él fue depuesto, y el segundo, el duque Eberhard de Franconia, afirmó someterse a la autoridad de Otón. Pronto demostró que había mentido cuando el hermano menor de Otón, Enrique, siguió el mismo camino que Thankmar.

La siguiente revuelta ocurrió dos años después en 939 d. C. A diferencia de Thankmar, Enrique buscó ayuda adicional de fuentes externas, y obtuvo el respaldo del rey de Francia, Luis IV. Los dos duques que se pusieron del lado de Enrique, el duque Eberhard y el duque Gilberto de Lotaringia, murieron. Otón entonces se dispuso a juzgar a su hermano menor. Aunque pudiera parecer una debilidad, optó por perdonar a Enrique en lugar de ejecutarlo. A Enrique se le permitió quedarse al lado de Otón.

A cambio de esto, Enrique lideró una nueva rebelión contra su hermano porque estaba convencido de que sería un mejor gobernante que Otón. En lugar de intentar otra batalla, coordinó con otros conspiradores para asesinar a Otón. Desafortunadamente para Enrique, Otón supo lo que estaba planeando, y en 941, todos los que conspiraron con Enrique fueron ejecutados. Dos veces Enrique había tratado de sacar a Otón del poder, y dos veces todos los que conspiraron con él fueron asesinados. Sin embargo, Otón, una vez más, perdonó a su hermano, y esta vez tenía razón al hacerlo.

En los años posteriores a este segundo intento por la corona de Otón, Enrique se convirtió en uno de sus partidarios más firmes. Su lealtad a su hermano mayor no volvió a flaquear. Probablemente ayudó que Otón le diera a Enrique más tierras; incluso mientras su hermano y los duques estaban conspirando contra él, Otón continuó expandiendo su alcance. Estos nuevos territorios se dividieron entre otros miembros de la familia de Otón, mostrando cuánto los favorecía y valoraba.

El primer grupo que pudo derrotar fueron los eslavos que residían al este del reino de Otón. Durante 950, Otón derrotó a uno de sus principales rivales, el Príncipe Boleslav I de Bohemia. La vida del príncipe se salvó, pero tuvo que aceptar rendir homenaje a Otón en el futuro. Luego, Otón dirigió su atención a la región problemática que algún día sería Francia. La gente del oeste atacaba constantemente las fronteras de Otón porque creían que Lotaringia (Lorena) era suya. Sin embargo, sus afirmaciones no significaron nada, ya que no pudieron tomar el territorio de Otón.

En 951, Otón comenzó a considerar una campaña para conquistar el lugar donde el Imperio romano había comenzado. Hizo marchar a sus hombres al norte de Italia en un intento por tomar las tierras que alguna vez habían sido parte del Reino de Lombardía. Adelaida, la viuda del rey nominal de Italia, solicitó su ayuda. El rey Lotario II había muerto, y la gente de Italia no la apoyaba para cumplir su papel. El rey Berengario II, el actual rey de Italia en aquel momento y posible asesino del rey Lotario, la había tomado prisionera y la estaba reteniendo para intentar controlar las tierras de su esposo. Otón marchó en su ayuda, probablemente con la intención de casarse con ella. Su esposa había muerto seis años antes, haciendo posible una alianza a través del matrimonio. Si Adelaida aceptaba el matrimonio, volvería a tener la estabilidad perdida por la muerte de su esposo, y Otón expandiría su dominio aún más sin tener que recurrir a una guerra total, algo que habría generado resentimiento entre el pueblo italiano. Otón ahora tenía la oportunidad de ser un héroe que sería bienvenido por haber salvado a Adelaida y haberle dado a su pueblo un líder fuerte. Otón la rescató con éxito y se casó con la viuda; en consecuencia, el título de rey de Italia se agregó a los muchos títulos que había ganado desde que llegó al poder.

Había un problema interno más que tenía que enfrentar, y ese era su hijo. Ahora adulto, Liudolfo buscó ganar poder en su propio nombre. Al trabajar con otras figuras germánicas, Liudolfo se rebeló contra su padre en casa. Por primera vez en su vida, Otón se enfrentaba a un miembro de la familia que representaba una amenaza real para su trono. Tanto su medio hermano como su hermano habían sido luchadores inferiores, pero Liudolfo había aprendido del propio Otón, convirtiéndolo en un oponente mucho más formidable. Sin embargo, Otón era muy consciente de un problema que su hijo no consideró durante su revuelta. Si bien Otón no pudo enfrentar con éxito a su hijo en casa, simplemente podía esperar a que los magiares atacaran su reino, un pueblo que algunos historiadores creen que descendía de las infames hordas de Atila. Estaban inquietos, y Otón sabía que representarían un problema para Sajonia; todo lo que tenía que hacer era dejar que su hijo lidiara con la amenaza. En 954, los magiares invadieron la región donde se alojaban Liudolfo y sus seguidores. Incapaz de enfrentarse tanto a los magiares como a su padre, Liudolfo se vio obligado a someterse a su padre en 955. Teniendo de nuevo un control completo de su hogar, Otón defendió rápidamente sus tierras de los magiares durante la batalla de Lechfeld. La derrota fue destructiva para los magiares e hizo que evitaran las regiones germánicas en el futuro.

## Cambio de atención hacia el futuro

El liderazgo natural y las habilidades militares de Otón le habían dado una ventaja que nadie había disfrutado desde Carlomagno. A diferencia de este hombre legendario, Otón enfrentó conflictos internos y externos durante toda su vida, y siempre tuvo éxito. A pesar de no ser un hombre religioso, Otón mostró una especie de misericordia, aunque parecía extenderla principalmente a los miembros de su familia, que no era obvia bajo Carlomagno. Tal vez por eso pudo forjar una unidad que pudo continuar incluso después de su fallecimiento.

Otón sabía que necesitaba establecer una sucesión que pudiera mantener intacto su trabajo después de su muerte, ya que había visto derrumbarse otros imperios y reinos y además provocó el fin de algunos de ellos. En 961, eligió al hijo que tuvo con Adelaida para ser su sucesor. Este hijo también se llamaba Otón, y cuando su padre decidió que él sería el próximo en gobernar el reino, solo tenía seis años. Para asegurarse de que nadie cuestionara su decisión, Otón celebró elecciones para legitimar su elección. Cuando su hijo elegido fue electo para ser su sucesor, el anciano Otón lo coronó para hacer un gobierno conjunto.

Satisfecho de que su legado continuaría y de que su hijo aprendería a gobernar trabajando codo a codo con él, Otón regresó a Italia para enfrentar la última ronda de problemas que el Rey Berengario II había provocado contra el papa. Cuando mitigó con éxito los problemas en 962, el papa Juan XII siguió el precedente establecido por el papa León III y coronó Otón como emperador del Sacro Imperio romano. Para combatir cualquier crítica, el papa emitió el Privilegium Ottonianum, que dictaba la relación que existiría entre el nuevo emperador y el papa. Un año después, el papa Juan XII trabajó con el Rey Berengario II para tratar de sacar a Otón de la oficina que el papa acababa de otorgarle. Indignado por esto, Otón primero derrotó a Berengario en otra batalla. Una vez que se resolvió ese problema, Otón volvió su atención al papa. Como no era un hombre religioso, Otón no tenía el mismo respeto o reverencia por el puesto que Carlomagno había ocupado. Otón retiró al papa de su posición y él mismo eligió otro papa, designándolo como el papa León VIII. Sin embargo, no permaneció como papa por mucho tiempo, muriendo en 965. Otón nuevamente eligió un nuevo papa, esta vez Juan XIII, una figura que ya no le gustaba mucho entre los líderes de la Iglesia. La revuelta contra la elección de Otón fue casi inmediata, y nuevamente se vio obligado a regresar a Italia para sofocarla.

Como Italia había demostrado repetidamente ser un lugar problemático, Otón decidió permanecer allí durante varios años para asegurarse de que no surgieran nuevos problemas. Su ausencia había hecho que las personas fueran más propensas a recurrir a la rebelión, por lo que estaba eliminando esa tentación al estar físicamente presente y gobernar sus otras tierras desde Italia. Al ver la oportunidad de extender su dominio aún más, viajó a lugares que estaban bajo el dominio del Imperio bizantino, aunque no tuvo éxito en expandirse hacia el este.

Al darse cuenta de que necesitaba concentrarse en el futuro de las tierras que ya tenía, Otón trabajó para asegurar el liderazgo de su hijo. En 972, se organizó el matrimonio de su hijo con Theophania, que fue la sobrina o la hija del emperador del Imperio bizantino. En lugar de derrotar al Imperio bizantino a través de la lucha, Otón iba a hacer que su hijo se casara con su familia, consolidando una alianza más estable que esperaba ayudaría a su hijo a retener su posición. Al año siguiente, 973 d. C., Otón, murió.

## Un legado inesperado

Las habilidades de Otón I como líder y estratega militar son innegables, pero no fueron sus únicas fortalezas. Bajo su gobierno, las tierras experimentaron un segundo renacimiento. Su falta de espiritualidad no significaba que no entendiera el valor de aquellas personas que dedicaron sus vidas a la Iglesia. Al nombrar a las personas que realmente se preocupaban por sus comunidades en puestos de poder, brindó a las personas de todo su imperio el apoyo que no habían tenido desde Carlomagno. Sus culturas comenzaron a prosperar, y la arquitectura comenzó a evolucionar hacia lo que se convirtió en el aspecto característico de la Edad Media. El progreso durante la segunda mitad de la Edad Media puede atribuirse en gran medida al trabajo que se realizó bajo el gobierno Otón I. Al eliminar las constantes pequeñas disputas, escaramuzas y batallas que plagaron varias regiones, los pueblos bajo su gobierno ahora podrían encontrar suficiente estabilidad y enfocarse en educación, cultura y literatura.

El reino de Otón I no era tan grande como el que adquirió Carlomagno, pero duró mucho más después de su muerte. Algunos historiadores acreditan a Carlomagno como el primer emperador del Sacro Imperio romano, pero ese es un argumento difícil de sostener, ya que la unidad bajo su gobierno no duró más allá de su muerte. Otón se aseguró de que su legado no se desvanecería cuando muriera, y su hijo pasó a gobernar las tierras que Otón había conquistado. El Sacro Imperio romano ciertamente cambiaría con el tiempo, y nunca sería una nación cohesionada, como Francia, España o Inglaterra. Era más una federación laxa con diferentes líderes compitiendo por el poder, pero conservaron una cultura e identidad similares en la era moderna temprana. Lo que surgió a lo largo de los años fue mucho más similar a lo que Otón había establecido que la unidad más sólida que Carlomagno había buscado.

# Capítulo 11: El Reino de Venecia

Venecia saltó a la fama durante la primera mitad de la Edad Media y siguió siendo una ciudad importante hasta bien entrada la era moderna. Durante la mayor parte del reinado del Imperio romano e inmediatamente después de la caída de Roma, la región de la actual Venecia era en gran parte una comunidad de pescadores y salineros. Tras la invasión de los lombardos en el norte de Italia, hubo una migración de italianos hacia el sur, y muchos de ellos se establecieron en esta región.

Durante varios siglos, la región pasó de ser controlada intermitentemente por el Imperio bizantino y cualquier grupo que controlara las tierras que ahora son Italia. En el momento de las Cruzadas, se habían convertido en un poder formidable. A veces la gente, más específicamente aquellos en el poder en Venecia, causaban problemas al papa y a los cardenales en Roma.

## El Veneti

Antes de la caída de Roma, un pueblo celta vivía a lo largo de la costa del noreste de Italia, y disfrutaban de la protección de Roma como sus ciudadanos. Sin embargo, la invasión de los hunos causó pánico en la gente. Con la esperanza de escapar de los horrores que quedaron tras los hunos, los celtas huyeron a la laguna y se establecieron en las islas. Sin Roma, se vieron obligados a desarrollar su propia federación que garantizaba que se protegerían mutuamente. Como se habían establecido en las islas, la gente estaba más aislada y eran menos tentadoras al flujo constante de personas que intentaban recoger los restos de territorios después de la caída de Roma.

Con la llegada de los lombardos a Italia, las islas descubrieron que su población comenzó a aumentar significativamente. Los italianos en el continente intentaban escapar de los lombardos que marchaban y se apoderaron fácilmente de gran parte del norte de Italia. Durante los siguientes doscientos años, la gente estuvo bajo el control del Imperio bizantino.

## La Búsqueda de la Independencia y el Establecimiento de un nuevo gobierno

En 726 EC, Venecia comenzó a alejarse del imperio y establecer un mínimo de independencia. Para establecer su propio gobierno, eligieron un dux (duque) llamado Orso Ipato. Hizo una declaración anti-bizantina, ganándose el respeto y el asombro de la gente. Si bien pudo gobernar, no se estableció una línea de sucesión ni ningún método para elegir nuevos funcionarios. Como resultado, el Imperio bizantino estableció nuevamente sus propios funcionarios una vez que él se fue.

Este estado de cosas duró hasta principios de los 750 cuando terminó el Exarcado de Rávena. El Imperio bizantino dejó de luchar contra los lombardos, perdiendo algunos de sus territorios. La mayor parte del resto del siglo se sumergió en el caos político, ya que las personas en posiciones poderosas en Venecia cambiaron entre querer ser parte del imperio y ser independientes. Otros poderes de las regiones circundantes también comenzaron a considerar que Venecia se encontraba en una posición potencialmente útil, especialmente la Iglesia.

En un intento por poner fin a los cambios perpetuos en el poder, Doge Obelerio se alió con los francos. Trabajando con su hermano, Doge Obelerio intentó establecer un cierto control para ellos mismos, lo que pensaron que sería más fácil de lograr con los francos. Se aliaron con el rey Pipino (el primer hijo de Luis I) para finalmente librar a Venecia de la influencia bizantina.

Esto obviamente molestó a las poderosas familias que no querían que el ducado se retirara del imperio. Para resolver este problema, la familia Parteciaco perdió su asiento gubernamental y fue transferido a las Islas Rialto.

Cuando los francos y el Imperio bizantino finalmente acordaron el tratado franco-bizantino en 814, la mayoría de los problemas de Venecia se resolvieron. El tratado aseguró al ducado que tendrían su propia independencia política y jurídica. Esta garantía era más de lo que habían obtenido previamente del imperio, pero no los quitó de su control. Aproximadamente 25 años después, el dux había acumulado suficiente poder para poder hacer acuerdos con poderes externos sin requerir el consentimiento o permiso del Imperio bizantino.

En este punto, el pequeño Ducado de Venecia estaba en una posición única. Se montaron en los dos mundos del Imperio bizantino y los poderes en constante cambio en Europa Occidental. Esto los convirtió en una ubicación privilegiada para que los comerciantes vivieran y realizaran su comercio. Al residir en un área de fácil acceso desde el Mediterráneo, Venecia era un lugar lógico para el envío. Como tenían suficiente autonomía para tomar decisiones, podían usarse para sortear las restricciones impuestas a las diversas potencias continentales. Con el tiempo, Venecia se convirtió en un poder muy influyente, y algunas de sus personas se hicieron muy ricas.

La gente de Venecia se dio cuenta de que el dux requería cierta supervisión y equilibrio gubernamental para evitar que el ducado se convirtiera en su propio pequeño reino. Una clase dominante se desarrolló naturalmente a partir del flujo constante de comercio y riqueza que se extendió por todo el ducado, dando un control al poder del dux. Con el tiempo, la población comenzó a desarrollar sus propias culturas y un sentido de conciencia regional que estaba más alineado con una nación que con un ducado. El siglo noveno vio al ducado volverse más democrático a medida que el dux fue nuevamente elegido para el cargo en lugar de ser un cargo hereditario.

Esta singular historia ayudó a crear un pueblo menos comprometido con el papa y más capaz de negociar en beneficio de sus propios intereses. El ducado había aprendido a ser inteligente y manipulador de los poderes externos, y Venecia finalmente se convirtió en un rival de Roma en términos del poder que tenía. A veces, el ducado de Venecia incluso manipuló los decretos de varios papas para su propio beneficio. Quizás el más grave de estos fue cuando la gente de Venecia esencialmente tomó el control de una de las Cruzadas posteriores. En lugar de dirigirse a las tierras musulmanas como lo habían planeado originalmente, los venecianos llevaron a los cruzados a Constantinopla y saquearon la ciudad. Ese fue el comienzo del fin del Imperio bizantino, y fue posible debido a lo poderoso que se había convertido el Ducado de Venecia. Esta posición única de no pertenecer realmente a ninguna parte fue lo que le dio a este pequeño asentamiento la oportunidad de convertirse en una de las ciudades más influyentes de Europa occidental durante varias décadas.

# Capítulo 12: Los Vikingos

Entre todos los pueblos más famosos o quizás infames de principios de la Edad Media, los vikingos destacan como uno de los más bárbaros y misteriosos. Las personas tienden a pensar que saben lo suficiente sobre los vikingos, pero una vez que se comienza a analizar su historia, tradición y sistemas, es casi imposible no perderse a medida que se profundiza más y se aprende aún más sobre ellos. Era un grupo mucho más complejo y diverso de lo que la mayoría de la gente piensa.

Además de ser un enemigo peligroso, los vikingos eran exploradores curiosos que lograron hacer algo que nadie más en Europa logró hasta la edad moderna: los vikingos alcanzaron lo que algún día se conocería como América del Norte. No solo llegaron a Norteamérica, sino que tampoco hicieron ningún intento de conquistarlo o explorarlo. Su comportamiento hacia los pueblos nativos fue significativamente diferente al de los futuros exploradores de otras partes de Europa.

# El comienzo de una Era Mítica: La era Vikinga

Los legendarios luchadores daneses que ahora llamamos vikingos eran únicos en muchos aspectos en comparación con los grupos de personas a su alrededor. Los líderes de las tierras y reinos vecinos se atacaron entre sí en gran medida por el territorio, tratando de obtener más poder tomando partes de Europa continental entre sí. Los vikingos eran notoriamente un pueblo marinero cuya ferocidad y curiosidad los llevó lejos de su tierra y lejos de sus hogares en Dinamarca, Noruega y Suecia, donde originalmente vivían.

Una de las razones por las que son tan conocidos, o al menos por qué su nombre aún es conocido por casi todos en la civilización occidental, es porque eran guerreros feroces. Durante más de tres siglos (del VIII al XI), los vikingos atacaron a sus vecinos y navegaron a través del canal hacia lo que ahora es Inglaterra para asaltar y saquear constantemente y llevar esos bienes robados a sus hogares. Viajaron lejos de su hogar, tanto hacia el este como hacia el oeste, y dejaron restos de sus asentamientos en Rusia y en el norte de Canadá.

Cuando los vikingos atacaban, la gente lo sabía. Los vikingos eran muy parecidos a los dragones ficticios que adornaban las proas de sus barcos: se podían ver desde muy lejos, y a menudo había muy poco que alguien pudiera hacer para detenerlos. Era una fuerza que resultó difícil de sofocar, y la mayoría de las veces, salieron victoriosos en sus incursiones.

El período entre los siglos VIII y XI se conoce como la Era Vikinga por muchos historiadores debido a su dominio. Su primera incursión conocida ocurrió en 793 en la isla de Lindisfarne, en la costa noreste de Inglaterra. Esta era la ubicación de un monasterio, y los vikingos fueron tan despiadados hacia este rico monasterio como lo fueron en cualquier otro lugar al que atacaron. Esto demostró que estaban entre las pocas tribus que no se preocupaban por la santidad de la religión cristiana, y estaban tan dispuestos a saquear los edificios religiosos como cualquier ciudad o pueblo a su paso. Los cristianos tendían a acumular la mayor parte de su riqueza en sus establecimientos religiosos y confiaban en el hecho de que eran lugares religiosos para protegerlos, convirtiéndolos en objetivos fáciles y rentables. Sin embargo, para ser justos, incluso los visigodos germánicos que habían saqueado Roma habían dejado las catedrales en paz. Sin embargo, lo que falló con esta forma de pensar fue que los visigodos habían sido cristianos, los vikingos no. No había razón para que los monjes que vivían en Lindisfarne pensaran que las naves ferozmente decoradas eran una amenaza real hasta que los vikingos realmente hubieran desembarcado.

## Sus Orígenes e Historia Conocida

Se desconoce qué llevó a las personas que alguna vez fueron granjeros y comerciantes comunes a convertirse en luchadores tan feroces y prolíficos. Dado que los vikingos no mantuvieron registros escritos, lo que se sabe de ellos es en gran medida a través de la lente de las personas que ellos atacaron. Al principio, los vikingos atacaron a las personas que vivían en ciudades costeras y monasterios. Al igual que los dragones representados en sus barcos, los vikingos llegaban, atacaban y luego se iban en un espacio de tiempo que hasta entonces no se había escuchado. No había otros tipos de asaltantes como ellos en Europa. Las batallas y la guerra en Europa incluían tener tiempo para que el pueblo o ciudad objetivo estableciera defensas y contrarrestara los ataques, pero los vikingos eran demasiado eficientes y tácticos en sus objetivos. Operaron más como un grupo increíblemente bien organizado de bandidos, pero definitivamente eran un tipo de fuerza militar. Su método de ataque se parecía más a un rayo que a una tormenta larga y prolongada. Muchas de las guerras en Europa continental solo tenían como resultado que los ejércitos pudieran tomar lo que quisieran de los lugares que invadían. Sin embargo, los resultados finales entre las incursiones vikingas y las guerras perpetuas realmente no fueron tan diferentes. La diferencia era que los vikingos no buscaban gobernar los lugares que atacaban.

Sin una descripción escrita de lo que los llevó a atacar el monasterio de Lindisfarne, los historiadores deben especular sobre los motivos que los llevaron a atacar las zonas costeras. Entre las teorías más probables se encuentran la falta de alimentos y recursos o quizás la falta de suficientes tierras de cultivo, lo que llevó a algunas de las personas a buscar una forma de complementar sus activos. También es posible que hubiera demasiados hombres, y la mejor manera de ocupar a los hijos más pequeños fue enviarlos a adquirir artículos valiosos que beneficiarían a toda la comunidad. Ciertamente habrían enfrentado la opresión y la persecución por ser paganos en lugar de cristianos. Esto no solo explicaría por qué atacaron tantos monasterios e iglesias, sino que también haría que los cristianos cuestionaran por qué su dios les estaba fallando constantemente contra un enemigo tan inferior. Dado lo lejos de casa que viajaron los vikingos, también es increíblemente probable que fueran curiosos y aventureros mucho antes de que estuviera de moda en el resto de Europa.

Aún más extraño, los vikingos no siempre estaban atacando y saqueando. Muchos de ellos continuaron trabajando sus campos o ejerciendo sus oficios gran parte del año. Durante los tiempos de cosecha, la costa de Europa descansaba más fácilmente porque la mayoría de los vikingos estaban demasiado preocupados con las actividades agrícolas como para atacar. Con el tiempo, algunos vikingos comenzaron a elegir atacar durante la mayoría de su tiempo, convirtiéndose en algo así como soldados o mercenarios a tiempo completo, excepto que se les pagaba con lo que podían tomar en lugar de pagarles a través de fondos militares.

Tampoco tenían miedo del frío que la mayoría de los europeos parecían evitar. Al establecerse en lugares como Islandia y tratar de establecerse en Groenlandia, los vikingos decidieron vivir en lugares a los que probablemente no irían otros. También eran comerciantes increíbles que sabían cómo hacer mejores negocios con sus productos. Como vivían en áreas que eran exóticas, tenían una abundancia de artículos que eran escasos en otros lugares. También comerciaban con esclavos, algo que todavía era increíblemente común en Europa en ese momento.

## Cambiando la Historia del Continente

Si bien definitivamente eran una fuerza a tener en cuenta, los vikingos finalmente se establecieron, extendiéndose por la parte norte de Europa, incluyendo Inglaterra, Escocia, Irlanda, Rusia e Islandia. Su objetivo principal (al menos al principio) generalmente no era tomar el control de los lugares que atacaban. Sin embargo, esto cambió con el tiempo, siendo la Inglaterra moderna el ejemplo más obvio de los vikingos que se establecieron en un lugar que ya estaba ocupado.

Carlomagno y algunos gobernantes después de él durante los siguientes siglos trataron de forzar la conversión cristiana de todos los paganos, pero eso realmente no funcionó con los vikingos. Los daneses se aferraron firmemente a su propia religión intrincada que hoy se conoce como mitología nórdica. Si bien la mitología nórdica es un poco deprimente, sus creencias eran tan antiguas, entretenidas y complejas como las mitologías griega y romana. Después de ver la desigualdad que los cristianos perpetuaron en su comercio y contratos a pesar de su religión, los vikingos probablemente sintieron que sus redadas estaban justificadas. No iban a escuchar a las personas que creían en una religión que enseñaba paz y tolerancia, pero que practicaban exactamente lo contrario. Aquellos que continuaban comerciando con cristianos a menudo se adornaban con accesorios cristianos, como un collar cruzado o ropa, durante los tratos para que fueran tratados como cristianos. Al llegar a casa, los vikingos se quitarían los accesorios cristianos y se pondrían prendas o artículos con símbolos mitológicos nórdicos. Durante mucho tiempo, los vikingos supieron lo suficiente sobre el cristianismo como para practicarlo junto con su propia religión y así no ser perseguidos.

Con el tiempo, los vikingos comenzaron a establecerse en algunos de los lugares que habían atacado con frecuencia. Al emigrar a Rusia, fueron de los primeros en establecerse en las tierras frías. Sin embargo, es Inglaterra donde su presencia fue la más influyente. Los vikingos fueron un problema perpetuo para Alfredo el Grande, pero también conocían el valor de la paz. Hubo un período de paz entre los daneses que ocuparon la isla y los nativos, y llegaron a ver que Alfredo realmente practicaba muchas de las cosas que enseñaba la religión cristiana. Alfredo trabajó para el mejoramiento de su pueblo, a diferencia de muchos líderes cristianos que se centraron principalmente en su propio poder y riqueza. Finalmente, los vikingos hicieron las paces con Alfredo, aunque el rey tuvo que hacer las paces con diferentes grupos de vikingos, ya que no eran una sola sociedad. Alfredo también vio que los vikingos eran mucho más que simplemente grupos de asalto. Los daneses habían establecido centros comerciales en toda la isla, y eran comerciantes expertos que atraían los negocios de muchas otras potencias. Con el tiempo, la fuerza militar y la sabiduría de Alfredo como gobernante convencieron a los daneses de que dejaran de luchar. Finalmente, se convirtieron en parte de la sociedad inglesa. Esta proximidad y relación positiva ayudó a muchos vikingos a convertirse voluntariamente al cristianismo a lo largo de los siglos.

Hubo un cambio similar en todo el continente. Los centros comerciales que los vikingos establecieron a lo largo de la costa finalmente los llevaron a conocer a los cristianos que los rodeaban y a convertirse pacíficamente. Aunque fue un proceso gradual, fue una elección que hicieron los vikingos. No podían ser forzados a convertirse, pero podían ser convencidos a través de las mismas demostraciones de lealtad y tolerancia que formaban parte de los primeros días del cristianismo. Esto es afortunado porque la fusión de los vikingos con sus vecinos significó que sus historias y mitología finalmente se registraron. Hoy sabemos mucho más sobre esta gente legendaria debido a las relaciones que desarrollaron con otros europeos.

## Un paseo por el océano

Al igual que Cristóbal Colón, el desembarco de los vikingos en América del Norte no fue intencionado. La primera vez que los vikingos se enteraron de la existencia de una nueva tierra fue cuando Bjarni Herjólfsson intentaba llegar a Groenlandia. Su barco se desvió de su rumbo, y cuando él y sus hombres vieron tierra al oeste, tomaron nota antes de darse la vuelta y finalmente llegar a Groenlandia. Al llegar a su destino, habló sobre lo que había visto el hijo de Erik el Rojo. Este hombre era Leif Erikson. Erikson tenía curiosidad por aprender más sobre esta tierra desconocida, y en 1000 d. C., llevó a una tripulación de hombres a recorrer unas 1.800 millas para explorarla atravesando el mismo camino que Bjarni había tomado.

A su llegada, Erikson y sus hombres llamaron al lugar Vinland, después de su hogar en Groenlandia. Los nativos fueron mucho más hostiles de lo que quizás habían anticipado, y el acuerdo fracasó. Teniendo en cuenta la distancia desde su hogar, es probable que Erikson decidiera que no valía la pena tratar de mantener el asentamiento en marcha, ya que era demasiado costoso y poco práctico tratar de establecerse en una tierra tan salvaje y distante. Quizás con su curiosidad saciada, los hombres regresaron a casa con el conocimiento de un lugar que el resto de Europa no descubrió hasta otros 500 años después.

Los vikingos tenían fama de ser increíblemente viciosos, pero no eran tan viciosos hacia los pueblos nativos como lo fueron los europeos una vez que se dieron cuenta de que podían explotar las Américas. Los vikingos eran inteligentes y conocían sus limitaciones. No buscaron gobernar nuevas tierras ni imponer sus ideas sobre otros. Sobrevivían mediante cualquier medio que fuera necesario o requerido. Cuando cubrían sus necesidades, deambulaban y aprendían sobre el mundo que los rodeaba. No hicieron alarde de sus ideas, aprendizajes o descubrimientos, eligiendo simplemente guardar la información para sí mismos. Era un pueblo mucho más complejo y variado de lo que han retratado la ficción y las fuentes modernas.

# Capítulo 13: La Segunda Mitad de la Edad Media

La segunda mitad de la Edad Media vio muchos cambios en todo el continente, algunos de ellos increíblemente positivos. Sin embargo, son los horrores y las tragedias que la gente tiende a recordar. Estos fueron los eventos que se transmitieron en los cuentos y que a menudo se repiten en la ficción de hoy.

El Gran Cisma: El Cristianismo se divide oficialmente

El cristianismo se había extendido por todo el Imperio romano cuando Roma fue saqueada por los visigodos. Cuanto más popular se hizo la religión, más diversas fueron las creencias sobre Jesús y lo que predicó. Hubo varios intentos de hacer una forma más unificada de cristianismo, pero a pesar de esos intentos, todavía se desarrollaron diferentes sectas en toda Europa. Si bien la mayoría de estas sectas se eliminaron en gran medida, las diferencias entre el cristianismo oriental y occidental continuaron creciendo. Finalmente, las creencias eran tan diversas que los poderes en Roma y Constantinopla ya no podían pasar por alto esas diferencias.

La división entre las dos versiones del cristianismo era inevitable. Constantinopla continuó con muchos de los mismos poderes e ideas que habían sido el sello distintivo de Roma. Como habían sido parte del Imperio romano, las personas en el Imperio bizantino se consideraban una continuación de ese imperio. Es solo durante la era moderna que comenzaron a llamarse Imperio bizantino. En comparación, Europa occidental se dividió, y sus gobernantes actuaron como buitres que se apoderaban del cadáver de Roma. Debido a que no solo habían logrado permanecer intactos y prósperos, sino que también habían expandido el imperio a nuevos territorios, los líderes espirituales en el Imperio bizantino creían que su camino era el correcto. Sin embargo, eran muy tolerantes con las personas en su imperio que practicaban el cristianismo occidental y creían en sus preceptos.

Para la gente de Europa occidental, una forma común de cristianismo era todo lo que tenían para mantenerlos unidos. Si bien hubo otras sectas, como los cristianos arrianos, la mayoría eran de Nicea. Solo tenían un líder, el papa, y creían que él era el sucesor espiritual directo de San Pablo. Eran menos tolerantes con la forma oriental del cristianismo, así como eran intolerantes con los arrianos y otras sectas. Se las arreglaron para vivir en paz durante algunos siglos.

Todo eso cambió a mediados del siglo XI.

En 1053 d. C., el papa León IX enfureció al Patriarca Miguel I Cerulario (el jefe de la Iglesia Oriental) cuando trató de reclamar el liderazgo sobre todo el mundo cristiano, incluidos los cristianos del Imperio bizantino. Para demostrar que tenía el control, Leo IX dio a las Iglesias orientales del sur de Italia la opción de conformarse al cristianismo occidental o ser clausuradas. No había absolutamente ninguna posibilidad de que el Patriarca Miguel aceptara esto (y ciertamente no había razón, ya que era mucho más poderoso). Miguel estaba indignado por las acciones del papa, y en represalia por la toma del poder del papa, Miguel hizo cerrar todas las iglesias que predicaban el cristianismo occidental en Constantinopla.

Leo pensó que podía armar a Miguel para que se doblegara a la voluntad de la Iglesia occidental y envió representantes a Constantinopla para tratar de ejercer su autoridad. El hecho de que tuviera que enviar emisarios para tratar de cumplir su dictado debería haberle dejado claro quién tenía más poder, pero Leo estaba muy cegado por su propia creencia en su religión como para ver el mundo como realmente era. Sus representantes llegaron a Constantinopla en 1054. Su representante principal, el cardenal Humberto, entró en la iglesia de Santa Sofía, una estructura más opulenta e impresionante que cualquier cosa que se pudiera encontrar en Roma, y colocó una bula papal en el altar durante uno de los servicios del patriarca. La bula papal declaró que el patriarca y todos sus seguidores habían sido excomulgados por el papa. Sin embargo, es posible que el papa no emitiera la bula papal, ya que murió poco después de que sus representantes salieran de Roma. El cardenal Humberto era un miembro increíblemente agresivo de la Iglesia occidental, y odiaba a la gente del Imperio bizantino. Vivieron vidas mucho más fáciles y opulentas, y es probable que estuviera increíblemente celoso. Estar en su capital le brindó la oportunidad de insultarlos realmente, y la bula papal pudo haber sido su intento de hacer eso. Nuevamente, Miguel tomó represalias con la misma medida, excomulgando a todos aquellos que practicaban el cristianismo occidental.

La brecha cada vez mayor entre los dos lados de la misma religión se convirtió en un abismo que nunca se ha reparado. Conocido como el Gran Cisma, los eventos iniciados por el papa León IX dividieron irrevocablemente al cristianismo en dos religiones diferentes, la Iglesia católica romana y la Iglesia ortodoxa griega. A pesar de varios intentos durante el próximo siglo y medio después de estos eventos para volver a unir a las dos religiones cristianas, la animosidad entre las dos hizo imposible que los hombres poderosos de cada religión perdonaran al otro bando. Durante el resto de la Edad Media, sus diferencias aseguraron que no se reconciliaran, a pesar de ser uno de los principios fundadores predicados por Jesús.

## Casi 200 años de lucha y cruzadas por Cristo

Quizás no haya una mejor ilustración de cuánta animosidad se acumuló a lo largo de los siglos entre las dos religiones cristianas que las Cruzadas. Menos de 50 años después de los eventos que iniciaron el Gran Cisma, comenzó la primera Cruzada. Puede que las dos religiones no se gustaran, pero ambas odiaban más aún a los musulmanes. Sacar a los musulmanes de Tierra Santa fue algo que tanto las iglesias católicas romanas como las ortodoxas griegas pudieron acordar hacer juntas. Para los católicos, fue una oportunidad de arrepentirse por sus pecados y obtener reconocimiento, y para el papa católico, fue una forma de consolidar su poder en Europa occidental. Para el Imperio bizantino, era una forma de recuperar tierras que les habían sido arrebatadas durante la expansión musulmana en el Cercano Oriente y África del Norte. Sus motivaciones pueden no haber sido altruistas (y ciertamente fueron bastante egoístas para el papa y el patriarca), pero fue una de las pocas veces que las dos religiones acordaron trabajar juntas. Tuvieron algunos éxitos marginales y temporales, y fue la única cruzada que podría decirse que tuvo éxito en cualquier nivel.

Los historiadores no están de acuerdo sobre cuántas Cruzadas hubo porque se convirtieron en una ocurrencia muy regular. Entre 1095, año de la primera Cruzada, pasarían casi 200 años antes de la Cruzada final. A medida que las razones de las cruzadas se volvieron menos claras y los cruzados menos organizados, hubo más oportunidades para la corrupción.

La mejor instancia de esta corrupción fue la Cruzada que se llevó a cabo entre 1202 y 1204. Se suponía que los cruzados iban a intentar recuperar la Tierra Santa, pero los venecianos la reutilizaron rápidamente. Los cruzados llegaron a Venecia y sus alrededores con la esperanza de llegar a Egipto, pero el precio que los venecianos exigieron para cruzar el Mediterráneo era demasiado alto. Al ver la oportunidad de beneficiarse de la Cruzada, los venecianos acordaron llevarlos a donde quisieran ir si los cruzados reclamaban a Zara, Egipto, que no era parte de lo que el papa les había dicho a los cruzados que hicieran. El papa se enfureció muchísimo por las acciones de los venecianos como de los cruzados, y los excomulgó a todos, aunque luego rescindió la excomunión de los no venecianos.

No está claro qué sucedió para precipitar la próxima cadena de eventos, pero los venecianos terminaron yendo a Constantinopla. Al principio, los cruzados estaban asombrados al ver la ciudad, que era mucho más impresionante que cualquier cosa que habían visto en Europa occidental. Fue tan impresionante que terminaron saqueando la capital bizantina, en gran parte por codicia y un deseo vengativo de dañar a la Iglesia cristiana opuesta. En lugar de atacar a los musulmanes, ahora estaban literalmente atacando a otros cristianos. Lo que se perdió durante este ataque católico contra la Iglesia ortodoxa griega todavía se lamenta hoy, porque tomaron cosas que se habían salvado de la caída de Roma. Los registros y las historias se perdieron debido a la avaricia de los cruzados y venecianos. El Imperio bizantino ya estaba en decadencia, pero nunca se recuperaron realmente de este ataque. Irónicamente, los cristianos habían debilitado una parte de sus propias tierras, haciendo mucho más fácil para los musulmanes alcanzar y finalmente disolver todo un imperio cristiano. Esencialmente, los cristianos ayudaron a los musulmanes en lugar de atacarlos, aunque sería a mediados del siglo XV cuando el Imperio bizantino finalmente terminara.

Las Cruzadas habían perdido por completo su propósito original, pero aún continuaron hasta finales del siglo XIII. Después de esto, la Iglesia católica no sancionó más cruzadas. Cualquiera que fuera a buscar la gloria atacando a los musulmanes e intentando recuperar Tierra Santa lo hizo sin el respaldo de la Iglesia. Más importante aún, muchas de las naciones en Europa se hicieron más vulnerables a los ataques al enviar a sus caballeros y líderes a luchar en tierras que estaban muy lejos. Por ejemplo, el Sacro Imperio romano tomó prisionero al rey Ricardo Corazón de León de Inglaterra cuando regresaba de las Cruzadas. Solo fue devuelto después de que su madre, Leonor de Aquitania, pagara un alto rescate. Los líderes tuvieron que aumentar los impuestos sobre su gente para financiar las guerras, lo cual era mucho más un problema para la gente que los musulmanes que ocupaban Tierra Santa. A principios del siglo XIV, los líderes decidieron mantener sus guerras más cerca de casa, donde podrían obtener algunos beneficios tangibles de sus guerras.

## Las cicatrices de la guerra en Europa

Las guerras entre las naciones no estuvieron completamente ausentes durante las Cruzadas, pero ocurrieron con menos frecuencia ya que muchos de los mejores luchadores participaron en las Cruzadas. Inglaterra vio un aumento en la lucha interna durante este tiempo, incluido un período llamado la anarquía. Como muchas guerras civiles, esta guerra terminó con la sucesión al trono. El heredero legítimo al comienzo de la Anarquía fue la hija de Enrique I, Adelaida. Después de la muerte de su hermano, ella regresó al reino; su esposo, el sacro emperador romano Enrique V, había muerto, y sin otro heredero aparente, Enrique, quería asegurarse de que ella tomara su lugar. Después de su muerte, la nobleza que había jurado lealtad a ella rompió su promesa y coronó a Esteban de Blois, el sobrino de Enrique I, rey. Esteban afirmó que el rey había cambiado de opinión sobre la sucesión en su lecho de muerte, dando a Esteban el trono. Entre 1135 cuando Enrique I murió y 1153 cuando entró el jefe de la Iglesia, Inglaterra se vio envuelta en una guerra cuando Adelaida, más conocida como la emperatriz Maude, luchó contra Esteban para tomar el lugar que le correspondía. Ella nunca obtuvo su derecho de nacimiento, pero su hijo, Enrique, se convirtió en el sucesor de Esteban.

Una guerra más devastadora abarcó más de 100 años e incluyó a la mayoría de las naciones europeas. Conocida como la Guerra de los 100 años, parecía que la energía que se había puesto en las Cruzadas ahora se estaba utilizando para matar a sus hermanos cristianos. Las cuestiones de sucesión volvieron a estar en el centro del problema cuando Carlos IV de Francia murió sin un heredero o un sucesor nombrado. Los historiadores llamarían a la lucha intermitente entre 1337 y 1453 la Guerra de los Cien Años debido a lo larga y cambiante que fue la guerra. Los matrimonios entre las familias reales de Inglaterra y Francia habían otorgado a los monarcas ingleses el derecho al trono francés. El inglés Eduardo III de Inglaterra tenía derecho al trono como sobrino del difunto rey Carlos IV. En un intento por garantizar que el rey inglés no fuera colocado en el trono francés, los franceses recurrieron a citar un par de viejas leyes que decían que la sucesión no podía pasar a través de una mujer. Como Eduardo III había estado relacionado con Carlos a través de su madre, las leyes decían que estaba excluido de la sucesión.

Inicialmente, Eduardo III parecía indiferente a su reclamo a Francia porque tenía suficientes problemas para luchar contra los escoceses. Cuando el gobernante elegido, el rey Felipe VI, decidió ayudar a agitar el problema apoyando al rey escocés David II, Eduardo se enfureció. Esto se agravó cuando el rey Felipe VI tomó Aquitania, que era parte de Inglaterra en ese momento. Eduardo III era a la vez un estratega inteligente y un enemigo despiadado. No solo decidió reclamar sus tierras, sino que también decidió presentar su reclamo como el heredero legítimo del trono francés. Sin embargo, no se basó solo en el poderío militar. Muchos de los nobles en Francia no se preocupaban por el rey Felipe, y Eduardo aprovechó eso para sembrar la discordia en Francia.

Inglaterra y Francia lucharían durante más de 120 años, arrastrando a otras naciones a la batalla de vez en cuando. Después de 80 años, mucho después de que Eduardo y sus hijos hubieran muerto, parecía que Inglaterra iba a ganar. En este período surgió una de las figuras más conocidas de la época: Juana de Arco. Ella le dijo al rey francés Carlos VII que tenía visiones que podrían ayudarlo a ganar la guerra. Carlos decidió escucharla, y al hacerlo, los franceses finalmente pudieron cambiar el rumbo de la guerra. Aunque los logros de Juana fueron pocos, pero aún bastante impresionantes teniendo en cuenta el hecho de que no había sido entrenada y luchó en el frente de las batallas en las que participó, fueron suficientes para hacer sentir a los franceses lo que los franceses que todavía tenían una oportunidad de ganar. Cuando los ingleses la quemaron en la hoguera en 1431, los franceses tenían una razón aún más personal para luchar. La guerra tardó casi otros 20 años en terminar, y nunca terminó igualando la misma intensidad de años anteriores. Para 1455, Inglaterra se había visto envuelta en la Guerra de las Rosas, y la Guerra de los 100 Años finalmente terminó cuando comenzó otra diferente.

Durante estas guerras constantes se experimentaron muchos cambios. Al final de la Guerra de los 100 Años, los caballeros, que habían sido esenciales durante las Cruzadas, ahora eran obsoletos. Se introdujeron armas, cambiando por completo las tácticas de guerra. Los cambios en el armamento requirieron un cambio significativo en las estrategias y estructuras militares, ya que las formaciones y tácticas utilizadas por los romanos ya no funcionaban contra el armamento en evolución. Las estructuras militares llegaron a depender de personal entrenado y listo para pelear y contaron con un ejército permanente en lugar de depender de campesinos y personas que sabían poco sobre cómo pelear.

## El Peligro de la Naturaleza

Hubo varios eventos naturales que reformaron casi por completo Europa durante la segunda mitad de la Edad Media. La Gran Hambruna entre 1315 y 1317 todavía se recuerda en toda Europa por sus efectos devastadores y duraderos en la población. Parte del problema era que la industria agraria se basaba en satisfacer solo la necesidad actual. Los alimentos y la agricultura adicionales no se consideraron en un momento en que la población del continente estaba estallando. La vida se había vuelto mucho más simple, y la gente comenzó a cambiar del trabajo agrario familiar a los oficios porque había gente más que suficiente para trabajar en los campos. Sin tener que preocuparse por la comida suficiente para sobrevivir, los oficios artesanos comenzaron a crecer y la gente comenzó a reunirse en grupos más grandes que se convirtieron en ciudades. El suministro de alimentos se había basado en lo que era óptimo en lugar del peor de los casos. En 1315, la primavera fue particularmente húmeda, por lo que fue casi imposible plantar la próxima cosecha según el calendario habitual. Los granjeros tuvieron que esperar hasta que cesaron las lluvias, y los que no esperaron perdieron gran parte de su trabajo porque las semillas se pudrían en el suelo que estaba demasiado húmedo para que pudieran brotar y crecer. Con una temporada de siembra más corta y posterior, el rendimiento del cultivo fue considerablemente menor que los anteriores, y fue imposible satisfacer la necesidad de alimentos. Durante ese año, no hubo tantas muertes durante el invierno, pero muchas personas no tenían una alimentación adecuada. Desnutridos la siguiente primavera, no pudieron mantener el horario necesario para satisfacer la demanda de alimentos. Con menos personas y mano de obra para cuidar los campos, hubo otra escasez durante la cosecha, y muchas personas murieron en 1316. Historias como Hansel y Gretel resultaron de esta época cuando las familias dejaban niños en el bosque porque no podían alimentar a toda su familia. Los miembros mayores de algunas familias optaron por morir de hambre para que los miembros más jóvenes y fuertes de la familia tuvieran suficiente comida para poder trabajar la próxima primavera. La hambruna fue tan fuerte en 1317 que incluso los monarcas en Europa continental sintieron sus efectos. Aunque la primavera de 1317 finalmente regresó al clima que necesitaban, había muy poca gente para cuidar los campos. Para empeorar sus problemas, la gente había recurrido a comer semillas para evitar morir de hambre, lo que significaba que no había suficientes semillas para plantar suficientes cosechas para el próximo año. Dolencias como la tuberculosis y la neumonía se cobraron muchas vidas, ya que las personas estaban demasiado débiles como para luchar contra la enfermedad. Durante este tiempo, se estima que del 10 al 25 por ciento de la población urbana pereció.

Sin embargo, este no fue el mayor desastre natural que golpeó a Europa durante la Edad Media.

Una de las pandemias más notorias en la historia humana comenzó en la lejana China. Se extendió por Asia y Medio Oriente, y llegó al mundo musulmán en el siglo XIV. Para entonces, Europa había oído hablar de esta enfermedad mortal, pero creían que su dios cristiano los protegería. Hasta donde podían ver, era una plaga que afectaba a los paganos y a cualquiera que no siguiera al dios cristiano. Pronto verían que no eran inmunes a lo que más tarde se llamaría la peste negra.

La plaga probablemente llegó a Europa a través de múltiples ubicaciones. Se sabe que los puertos italianos fueron los primeros en experimentar la peste negra, lo cual era inevitable, ya que personas de todo el mundo los visitaban. Hubo numerosos factores que contribuyeron a su propagación. Con el auge de las ciudades, la gente vivía en espacios mucho más pequeños que estaban mucho más juntos. Muchas de las áreas estaban superpobladas, y la falta de higiene adecuada aumentó la propagación de plagas como ratas y ratones, lo que permitió que la plaga se extendiera rápidamente una vez que llegaba a un pueblo o ciudad.

La mayoría de las personas creen que la peste negra se propagó a través de las picaduras de pulgas, pero esa no era la única forma en que se podía propagar. En realidad, había tres tipos de peste, a menudo llamada la peste bubónica. Las picaduras de pulgas fueron el método de transmisión de la hebra bubónica, que luego atacaba los ganglios linfáticos. Sin embargo, según la velocidad con la que se propagó la enfermedad, es cierto que las personas también contrajeron la hebra neumónica, que se propagaba al toser, estornudar y exhalar la bacteria. Parecía haber cierto nivel de comprensión débil de que el aire era impuro alrededor de quienes contraían la enfermedad. El papa mantuvo el aire a su alrededor cubierto de humo y olores, ya que tuvo velas e incienso ardiendo durante todo el episodio. La tercera cadena de la plaga es la plaga septicémica, o plaga de sangre. Es poco probable que esta fuera una forma común de transmitir la enfermedad, aunque algunos probablemente contrajeron esta hebra, ya que sus seres queridos sangraron en las últimas etapas. Este contacto con su sangre contaminada se convirtió en una sentencia de muerte si una persona tenía una herida abierta. Las pulgas definitivamente ayudaron a contribuir a la propagación de la enfermedad, pero una vez que llegaba a un pueblo o ciudad, era tan probable que una persona la contrajera a través de las bacterias en el aire como a través de las pulgas.

La peste negra regresó en oleadas por toda Europa durante las siguientes décadas, pero nunca fue tan devastadora como la primera ola. A raíz de la primera ola de la peste, las ciudades aprendieron a implementar cuarentenas, gracias al ingenio de la gente en Venecia. Su éxito en contener y luego evitar oleadas posteriores de la peste negra se duplicó en toda Europa, y este tipo de contención todavía se usa hoy en día.

Después de la primera llegada de la plaga, los historiadores estiman que entre una cuarta parte y la mitad de la población europea pereció debido a la plaga durante este tiempo, convirtiéndolo en uno de los peores desastres en la historia europea. Causó una cicatriz tan profunda en la psique europea que la mayoría de las personas conocen bien el evento, incluso si no saben mucho al respecto.

# Capítulo 14: El Renacimiento

El Renacimiento fue una época en que las naciones europeas comenzaron a volver a las ideas y filosofías que fueron ampliamente ignoradas durante la Edad Media. Sin Roma para mantenerlas unidas, las diferentes tierras se vieron obligadas a encontrar sus propias identidades. Hombres como Carlomagno y Otón I fueron capaces de unificar muchas de las áreas que alguna vez estuvieron en el imperio, pero el alcance completo del Imperio romano nunca más se logró, al menos no desde una perspectiva gubernamental.

El único factor unificador para Europa occidental durante la Edad Media fue la Iglesia cristiana, que se convirtió en la Iglesia católica romana después del Gran Cisma. Los mascarones religiosos continuamente consolidaron el poder bajo la apariencia de religión hasta que tuvieron más poder que casi cualquier monarca en Europa. La Iglesia estaba celosa de cualquier intento que cuestionara ese poder y sofocaba cada vez más el pensamiento y la ciencia para no perder su control sobre el continente.

El Renacimiento italiano fue el comienzo de una era completamente nueva, llamada la era moderna temprana. Los líderes del Renacimiento generalmente no desafiaban directamente a la Iglesia católica romana, pero eran de la opinión de que la Iglesia no debería tener nada que decir sobre el descubrimiento de la verdad en el mundo. Hombres como Galileo y Copérnico realmente trabajaron en nombre de la Iglesia, a quien Copérnico le dedicó su obra maestra llamada *Sobre las revoluciones de las esferas celestiales*. La Iglesia les pagó a ambos llamando hereje al trabajo del difunto Copérnico y encarcelando a Galileo. Cuanto más control intentó ejercer la Iglesia sobre la gente, más débil se volvió.

A medida que el Renacimiento se extendió a las diferentes naciones de Europa, las cosas comenzaron a cambiar. Entre finales del siglo XIV y 1620, Europa emergió de la Edad Media con una nueva comprensión de su mundo.

## Condiciones propicias para el Renacimiento

Había dos cosas que habían retrasado a la gente de Europa durante gran parte de la Edad Media. La primera fue la dificultad con la que se producían los alimentos. Incluso Roma no había dominado realmente un método para proporcionar sustento a todo el imperio. En el transcurso de la Edad Media, las herramientas y los animales utilizados para cultivar cambiaron significativamente. Se hicieron arneses que permitieron un arado más fácil de los campos, y se implementaron nuevos sistemas para plantar y cosechar que facilitaron el cultivo de más alimentos para más personas. Esto permitió a las personas tener más tiempo libre y encontrar otras formas de simplificar sus vidas.

La segunda cosa que detuvo a la gente de la Edad Media fue la educación. Definitivamente había personas fuera de la nobleza y el clero que podían leer y escribir, pero esto no era común, incluso entre algunos miembros de la nobleza. Algunos clérigos enseñarían a las personas de su comunidad a leer y escribir, particularmente en los primeros días después de la caída de Roma. Los hombres, como el rey Alfredo, también trabajaron para educar a las personas porque creían que esa era la mejor manera de mantener a las personas en el camino correcto hacia la salvación. A pesar de estas buenas intenciones, fue difícil enseñar a las personas debido al tiempo que llevaba hacer un solo libro. Los libros tenían que escribirse a mano, y escribir un solo libro generalmente llevaría días o, en algunos casos, incluso semanas.

Todo eso cambió con Johannes Gutenberg y su imprenta a mediados del siglo XV. Por primera vez en la historia, fue posible producir libros en masa. No solo fue mucho más fácil imprimir un libro, sino que también fue considerablemente más barato debido a los materiales que utilizó. Sin estas innovaciones, el Renacimiento habría sido significativamente diferente.

## Intentando definirse

El término "Edad Oscura" se acuñó en realidad como una forma de definir el período de tiempo anterior como menos ilustrado en términos de literatura y pensamiento. Era una forma de declarar que los hombres del Renacimiento estaban volviendo a la era dorada de pensar, que había ocurrido durante el Imperio romano.

La arquitectura comenzó a reflejar los diseños del período clásico en lugar del impresionante estilo arquitectónico que se desarrolló durante la Edad Media. Contrafuertes y agujas fueron abandonadas por columnas y mármol. Esto les dio a los nuevos edificios un aspecto más clásico, limpio y estéril que no requería ornamentación. Sin embargo, siguieron usando las vidrieras, lo que demuestra que incluso los hombres del Renacimiento reconocieron la belleza de algunas de las arquitecturas de la Edad Media.

En lugar de centrarse en la religión, los hombres volvieron a centrar su atención en las matemáticas y las ciencias, que fueron descuidadas durante la Edad Media. Las personas que habían huido de Constantinopla después de la caída del Imperio bizantino fueron definitivamente decisivas para ayudar al pueblo de Italia a comprender y avanzar en las ideas del período romano. Junto con las innovaciones en estas áreas por parte de los musulmanes, los hombres del Renacimiento italiano tenían una gran plataforma desde la cual desarrollar y evolucionar estos campos. A medida que las matemáticas y las ciencias comenzaron a ser exploradas en serio, la gente se energizó y se volvió más inquisitiva. Este espíritu de emoción pronto viajó por el continente europeo.

## Mas allá de Italia

El Renacimiento comenzó en Italia, pero casi todas las naciones importantes disfrutaron de su propia versión de un renacimiento, y ninguna nación siguió el mismo proceso o ideas que otra. Hubo un creciente interés en las increíbles obras de arte e ideas que surgieron de Italia, pero lo que el Renacimiento significó para Francia e Inglaterra fue muy diferente de lo que significó en Italia. Gran parte del enfoque en Francia estaba en la estética, particularmente en el arte y la arquitectura. Impresionantes edificios, como el Palacio de Versalles, se construyeron durante el Renacimiento francés, incluidos los lujosos e impresionantes jardines. Hubo un replanteamiento de la humanidad y la ética, con escritores como Moliere y Balzac siendo los más progresistas.

El Renacimiento inglés alcanzó su punto más alto bajo el gobierno de la reina Isabel I. Era hija del rey Enrique VIII y su segunda esposa, Ana Bolena, y bajo su guía, el Renacimiento tuvo un enfoque algo diferente. Muchas de las obras de William Shakespeare fueron escritas para entretener a su público, pero sus historias se centraron en mostrar a los antepasados de Isabel bajo una luz positiva (incluso cuando ese no debería haber sido el caso). Hubo una buena cantidad de propaganda mezclada con el Renacimiento, pero esto es comprensible teniendo en cuenta que era el único país protestante en Europa. Había partes del Sacro Imperio romano que eran protestantes, pero cada provincia tenía su propia religión. Había muchas áreas del Sacro Imperio romano que eran católicas.

España y Portugal vieron tipos similares de los renacimientos que ocurrieron en Europa continental, pero estaban más interesados en perseguir sus intereses a través del océano en las Américas. Colón llegó a las Américas 500 años después de Leif Erikson, pero unos 30 años antes de que comenzara el Renacimiento. Como la mayor parte de Europa pasó tiempo reflexionando y estudiando el mundo que los rodeaba, España y Portugal exploraron y explotaron las tierras al otro lado del océano. Esto les dejó con menos tiempo para el tipo de búsqueda del alma y autoevaluación que se produjo en otros países.

## Fluyendo hacia el presente

El Renacimiento fue un período sorprendentemente corto de aproximadamente un siglo más o menos. Es cierto que hubo algunos eventos que amplificaron el potencial de cambios que ocurrieron durante el Renacimiento. Eventos como la peste negra sirvieron más como un puente entre los dos períodos de tiempo porque Europa ya estaba experimentando cambios significativos antes del Renacimiento. El Renacimiento fue la primera vez que un gran grupo de personas comenzó a progresar con las mismas ideas y valores en lugar de que cada persona o grupo trabajara en gran medida en el vacío. La Edad Media se centró en la supervivencia, estableciendo lo que vendría después de Roma y entendiendo su fe. Todo eso estaba bastante bien definido en la época del Renacimiento. Con estas preguntas respondidas, y la mayoría de sus necesidades atendidas fácilmente, los hombres del Renacimiento tuvieron el lujo del tiempo para volver a las ideas y filosofías de la época romana.

Al igual que durante la Edad Media, casi cualquier razón para una guerra sirvió como razón suficiente para luchar. A principios del siglo XVII, la Reforma protestante había desencadenado guerras en toda Europa. A pesar del regreso a la lucha, las ideologías y los tipos de pensamiento que prevalecieron durante la

Edad Media desaparecieron en gran medida. Las sociedades cambiaron y las servidumbres desaparecieron significativamente. El Renacimiento dio paso al Período de la Ilustración, que vio avances significativos en la ciencia, particularmente en la física. Las invenciones que cambiaron el mundo llegaron con una frecuencia cada vez mayor, así como con regulaciones para esas invenciones, ya que quedó claro que algunas no eran completamente seguras.

La gente de la Edad Media recurrió al dios cristiano para resolver sus problemas. Después del Renacimiento, recurrieron cada vez más a la ciencia y la investigación para resolverlos. Las personas comenzaron a decidir que querían tener más control de sus vidas en lugar de esperar lo mejor. Esto a menudo resultó en hallazgos que fueron tan horribles como asombrosos, pero todos fueron posibles debido a los cambios de pensamiento que comenzaron con el Renacimiento.

# Conclusión

Hay muchas razones por las cuales los años posteriores a la caída de Roma realmente no conformaron un tiempo oscuro y por qué el término Edad Oscura realmente perjudica a un período cuyos eventos ayudaron a dar forma a las tierras y las naciones futuras que hicieron que Europa se convirtiera en lo que es hoy. La interpretación más precisa del término es que los académicos y lectores de la historia de hoy en día se mantienen en la oscuridad sobre lo que sucedió durante este tiempo, ya que no se sabe mucho sobre este período en comparación con el período romano o la historia más reciente. Gran parte del mundo estaba en caos después de la caída de Roma, pero esto lo pensaban principalmente la clase dominante y la nobleza, que eran las personas que habrían podido escribir registros para las generaciones futuras. Como las personas que sabían leer y escribir se preocupaban por otros problemas y luchas de poder, la vida cotidiana de las personas e incluso algunos eventos importantes se perdieron por completo en el tiempo.

Uno de los principales cambios que comenzaron durante la Edad Media fue en realidad algo que probablemente no estaba bajo el dominio romano. Los campesinos y los que nacieron en la parte inferior de la estructura social descubrieron que tenían más opciones al final de la Edad Media. Sin embargo, este no fue el caso durante el tiempo entre la caída de Roma y alrededor de 1000 d. C. Por ejemplo, las universidades no existían bajo el Imperio romano; esos centros fueron el resultado de un movimiento hacia la igualdad, principalmente para hombres, no para mujeres, aunque algunos miembros del clero sí enseñaron a niñas y mujeres. Esto solo fue posible después de que Roma cayera debido al estricto control que tenían los romanos y cuán celosamente guardaban la influencia y el poder.

La Edad Media fue un período en que las personas comenzaron a expandir sus puntos de vista y ver más oportunidades en el mundo que les rodeaba. Fue un proceso increíblemente lento. Algunos de los líderes que se levantaron durante la Edad Media remitieron la educación o se centraron en mejorar la vida de las personas en sus dominios. Carlomagno y Alfredo se encontraban entre los gobernantes más notables que buscaban implementar mejores sistemas para sus imperios. A medida que las personas experimentaron cambios que los unieron a un grupo más grande de personas, comenzaron a pensar en términos más amplios. Las acciones de los vikingos, por ejemplo, le enseñaron a la gente del continente que había otras formas de luchar. Los vikingos también comenzaron a exponer cómo la religión cristiana se había convertido en algo completamente diferente de lo que era en la época de la caída de Roma.

Conocemos algunos de los principales eventos de esta época y algunos personajes clave, pero realmente no sabemos mucho más que eso. La lectura y la escritura no eran habilidades comunes, ya que las personas se enfocaban en la supervivencia y su religión. Se iniciaron los cambios en el pensamiento, pero distaban mucho de ser fructíferos. Algunos de los nombres más importantes que surgieron a partir de este momento todavía se conocen bien hoy, sobre todo Carlomagno. Conforme Europa trabajaba para redefinirse, el paisaje cambiaba con frecuencia a medida que las personas migraban y luchaban por el territorio. A finales de la Edad Media, Europa había comenzado a transformarse en las naciones de hoy. Algunas de ellas estaban bastante bien definidas, como Inglaterra, pero algunas todavía tenían un largo camino por recorrer, como Austria y Alemania. Sin embargo, ya se dejaba entrever lo que vendría en el futuro.

# Segunda Parte: La peste negra

*Una guía fascinante de la pandemia más letal de la Europa medieval y de la historia de la humanidad*

# Introducción

La peste negra fue una de las primeras pandemias registradas en Europa después de la caída del Imperio romano. A lo largo del continente, la gente aprendió lo espantosa y horrible que podía ser la enfermedad cuando la plaga cruzaba las fronteras de los países y las líneas establecidas por la sociedad, matando a todos por igual. Demostró que nadie, ni siquiera arzobispos y reyes, era inmune a su alcance. La ferocidad con la que la plaga arrasó el continente, incluso llegando a las costas de Inglaterra, demostró lo poco preparados que estaban para algo a tan gran escala. Era la primera vez que una enfermedad importante atacaba la mayoría del continente tras la caída del Imperio romano, pero no sería la última.

Hoy en día, es fácil mirar hacia atrás a la superstición y el miedo que llevó a la gente a creer algunas de las cosas más extrañas y a actuar de maneras que son completamente inaceptables ahora y nos llevan a preguntarnos cómo alguien podría haber sido tan irracional.

Al principio, la gente creía que la plaga era un incidente aislado y que seguir unas pocas tradiciones religiosas los protegería. La enfermedad golpeó primero a los marineros y a otras personas no conocidas por ser las más morales o religiosas. Luego la enfermedad comenzó a extenderse desde las ciudades portuarias a las áreas circundantes. Pueblos enteros fueron aniquilados, y la terrible plaga no parecía tener en cuenta la clase, el estatus o la religión. La gente comenzó a entrar en pánico, ya que incluso los monarcas y los líderes religiosos murieron por una enfermedad que se propagó más rápido de lo que se podía detectar.

Por supuesto, hoy en día comprendemos mucho mejor lo que causó la peste negra. Las pulgas fueron el principal problema, aunque hay un debate sobre qué animal fue el principal portador de las pulgas. Algunos dicen que fue el ratón; otros dicen que las ratas. La verdad es que cualquier animal que pudiera ser portador de pulgas habría sido una amenaza, incluyendo a las personas.

Los efectos de la plaga aún se sienten hoy en día. Muchos historiadores estiman que alrededor de un tercio de la población de Europa murió durante la primera pandemia, el evento dio forma al mundo que tocó. Tampoco fue un problema solo en Europa, ya que la noticia de la enfermedad precedió a su llegada. La gente que escuchó los rumores de la muerte en ciudades extranjeras creía que era una plaga para los paganos. Cuando comenzó a matar a cientos, luego miles, luego pueblos enteros, no parecía haber una razón clara para la causa. La gente entró en pánico, buscando un chivo expiatorio al que culpar mientras la población disminuía en todo el continente.

Aunque la peste negra inspiró algunos de los peores actos de la humanidad, también fue el comienzo de algunas prácticas preventivas que todavía usamos hoy en día. Cuando se corrió la voz de la plaga, un viajero particularmente inteligente se dio cuenta de que parte del problema era la introducción de personas con la enfermedad en ciudades sanas. Entendiendo que había una correlación, comenzó la primera cuarentena para mantener un pueblo seguro. También se dio cuenta de que los que habían sobrevivido a la mortal plaga no eran susceptibles a ella más tarde. Aunque llevaría siglos entender cómo usar esta información, la exposición a una enfermedad particularmente desagradable es exactamente lo que las vacunas actuales proporcionan a aquellos que las reciben.

Durante los siguientes siglos, la peste bubónica volvería varias veces. Aunque fue increíblemente mortal, nunca más tuvo el mismo efecto catastrófico en la población europea. La gente comenzó a estudiarla desde una perspectiva científica en lugar del mismo ángulo supersticioso o fatalismo religioso, lo que permitió entender exactamente qué estaba causando las muertes. Hoy en día, los profesionales de la medicina pueden tratar fácilmente la peste bubónica si se dan cuenta de lo que es lo suficientemente pronto. Con ejemplos de la enfermedad que se ha producido en muchas naciones durante la última década, incluyendo los EE. UU., la peste negra no ha desaparecido, pero ya no es la sentencia de muerte que una vez fue.

# Capítulo 1 - Las primeras pandemias

Es casi seguro que hubo dolencias en Europa que causaron muertes masivas y pánico antes de la llegada de la peste negra. Sin embargo, no se registraron muchos casos de una pandemia tan devastadora que acabara con un gran porcentaje de la población. Una de las razones por las que la plaga pudo llevarse tantas vidas fue que la gente creía en la religión y supersticiones en lugar de la ciencia. En ese momento, la ciencia no estaba lo suficientemente avanzada como para ayudar a prevenir o curar la enfermedad, dejando a la gente indefensa, ya que sus seres queridos murieron y luego se enfermaron ellos mismos.

Muchas de las películas actuales sobre brotes y plagas repentinas que matan a grandes porciones de la población se basan en gran parte en la peste negra. Aunque definitivamente no se propagó al ritmo que se muestra en las películas y programas, parecía que con el tiempo acabaría con toda la vida, no solo con la de los humanos. La historia nos enseña que es posible que las plagas acaben rápidamente con la vida, pero también hemos recorrido un largo camino desde la última pandemia, lo que hace improbable que la historia se repita.

## ¿Qué es una pandemia?

Según la Organización Mundial de la Salud, "Una pandemia es la propagación mundial de una nueva enfermedad". La gripe, comúnmente llamada influenza, es un ejemplo de ello. A veces la gripe puede ser particularmente potente, pero es una enfermedad que la gente ha llegado a anticipar y a esforzarse por prevenir. Este tipo de gripe es más potente que la gripe estacional, pero normalmente se nos advierte sobre ella una vez que los profesionales médicos se dan cuenta de que existe una cepa particularmente virulenta que se desplaza por todo el mundo y que afecta a personas de todas las edades, no solo a los ancianos y a los niños pequeños.

Sin embargo, los peores ejemplos de pandemias fueron mucho más letales y ayudaron a moldear el mundo en que vivimos hoy. Casi todo el mundo occidental ha oído hablar de la peste negra, aunque no sepan exactamente cuándo ocurrió. Aniquiló a un tercio de la población de Europa y afectó a los europeos durante más de un siglo. Sin embargo, fue una pandemia, y no solo afectó a Europa. La peste bubónica golpeó tres veces diferentes en la historia, dejando profundas cicatrices en todos los lugares donde proliferó. Ha tocado casi todos los continentes y todavía existe hoy en día, pero tenemos la suerte de comprender mucho mejor la medicina y la enfermedad, por lo que podemos tratar la enfermedad con éxito si se detecta a tiempo.

## La plaga de Justiniano

Tal vez no sea tan conocida como la peste negra, pero la primera pandemia registrada que tocó a Europa ocurrió entre 541 y 544 d. C., en el Imperio bizantino. El pueblo se consideraba a sí mismo como romano, ya que era la continuación de la mitad oriental del Imperio romano, que sobrevivió casi un milenio más que el Imperio romano de Occidente. Eran tan inteligentes y dotados como los romanos que conocemos hoy en día, y eran capaces de muchas más innovaciones y actividades intelectuales que las partes de Europa durante la Edad Media. Mientras el resto de Europa había descendido a la superstición y a la Edad Media, el Imperio bizantino continuó los esfuerzos arquitectónicos, intelectuales y científicos de los romanos. A pesar de creer en la ciencia, la gente que vivía en Constantinopla no sabía nada de los organismos microscópicos y se sintió completamente perdida cuando la gente comenzó a morir de una misteriosa enfermedad en el año 541 d. C.

Llamada la plaga de Justiniano por el gobernante de la época, Justiniano I, la plaga se abrió paso entre la población a un ritmo alarmante. Se cree que esta plaga en particular se originó en Asia Central antes de propagarse a Etiopía, un animado centro de comercio, a través de las rutas marítimas. Desde Etiopía, la plaga siguió las rutas comerciales a Egipto, una provincia del Imperio bizantino y un importante centro de comercio con el resto de Europa. Desde Egipto, la plaga se extendió a lo largo de las rutas comerciales, tanto en el Mediterráneo como a lo largo del norte de África hasta el Imperio bizantino.

Fue la primera vez que la peste bubónica golpeó el continente, pero fue mucho peor cerca de Constantinopla, que hoy se llama Estambul. Los centros de comercio en gran parte de Europa eran mucho más pequeños, así que el efecto en la mayor parte del continente no fue tan grave. Como afectó al Imperio bizantino que se extendió desde Europa del Este a través de Oriente Medio y hasta el norte de África, no dejó el tipo de impresión que la próxima visita marcaría en la historia europea. Sin embargo, se le atribuye el haber contribuido a la decadencia del imperio. La hambruna y las cuestiones sociales se convirtieron en otra preocupación, que se imitaría en la siguiente gran iteración, con pérdidas mucho más devastadoras y memorables para los europeos.

Ocasionalmente surgían brotes menores durante aproximadamente los siguientes 200 años, pero eran en gran medida tan menores que son poco más que una nota de pie de página en la historia. Las vidas perdidas no eran menos importantes, pero la escala era demasiado pequeña para ser notada. Sin embargo, esto cambiaría en el siglo XIV.

## La peste negra

La plaga de Justiniano fue devastadora para las personas afectadas, pero pasó desapercibida para la mayor parte de Europa. Durante los siguientes 800 años, las cosas cambiarían significativamente en Europa, con la gente gravitando hacia las ciudades. El cristianismo comenzó a escindirse, con el surgimiento de Roma como el nuevo centro del cristianismo europeo: el catolicismo. Esto jugaría un papel muy importante en la forma en que la gente llegaría a entender la plaga.

Los rumores de una plaga oriental habían llegado a Europa, en particular a los puertos italianos, pero parecía un problema lejano hasta que llegó a sus costas. El clero tenía cierto conocimiento de la plaga que devastó el Imperio bizantino durante el siglo VI, pero la mayoría de la población no sabía lo que había ocurrido hace tanto tiempo en un lugar tan lejano. La llegada repentina de una plaga que se movía imposiblemente rápido causó pánico. La mayoría de la gente no habría conocido el término pandemia, pero eso era exactamente lo que estaba ocurriendo. Personas notables en Europa, tanto en el continente como en las islas, murieron con muy poco aviso de que algo andaba mal. Una vez que una persona empezaba a mostrar signos de la enfermedad, era demasiado tarde para salvarla.

El número de muertos era inimaginable, y la gente se dio cuenta de que no tenían las herramientas adecuadas para hacer frente a lo que estaba sucediendo. La peste negra duró de 1346 a 1353, y luego pareció desaparecer en gran medida, solo para estallar ocasionalmente en todo el continente.

Fue la primera vez que se documentó una plaga en la medida que vemos hoy en día. Uno de los más renombrados escritores de la época, Giovanni Boccaccio, escribió sobre la plaga en una de sus obras más famosas, *El Decamerón.* Proporciona una mirada a la mentalidad y el terror que la enfermedad provocó en un pueblo que no estaba equipado para hacer frente a ningún desastre importante y ciertamente no algo que requiriera de la ciencia para curar.

En ese momento, llegó a llamarse la peste, pero dejaría una marca indeleble en toda Europa. Cuando la gente miraba los libros de historia, eventualmente declararía que la enfermedad era la peste negra. Hoy en día, es casi imposible imaginar lo horrible que fue la peste bubónica porque nunca hemos experimentado nada comparable. Incluso el susto del SIDA en los años 80 y 90 no fue tan devastador como la peste negra. Sin embargo, eso no impide que la gente tema que vuelva a suceder. Los siglos no ha hecho nada para disminuir el miedo y el horror que la primera peste negra inspiró en varios continentes.

## La tercera pandemia

Aunque la peste bubónica regresaba ocasionalmente, la siguiente vez que alcanzó el nivel de una pandemia fue en China a mediados del siglo XIX. La conocida enfermedad aún no se entendía del todo más de 500 años después. Esta vez, asolaría los países de Asia y Australia. Empezó en una zona remota de China, pero comenzó a extenderse a lo largo de las rutas comerciales del opio y el estaño. Como los tentáculos que se extienden desde la fuente, fue en varias direcciones diferentes, llegando a Hong Kong en 1894 y a Bombay en 1896.

Al igual que la última pandemia, la peste bubónica se extendió a las ciudades portuarias de todo el mundo, pero no tuvo el mismo efecto en los lugares que había devastado anteriormente. Causó graves preocupaciones en Australia y en gran parte de Asia, pero fueron los países más pobres los que realmente sufrieron porque no tenían los medios para luchar contra la plaga. El lugar más afectado fue la India. Se estima que 15 millones de personas murieron durante esta tercera pandemia que terminó alrededor de 1959. A diferencia de las pandemias anteriores, la plaga parecía desaparecer, y luego volver a levantar la cabeza cuando la gente pensaba que era segura. Esto hizo que la enfermedad fuera difícil de combatir y es la razón por la que se perdieron tantas vidas.

## Preocupaciones de hoy

La ciencia ha facilitado mucho la lucha contra las enfermedades, pero también ha facilitado considerablemente su propagación. Además de las armas biológicas, las innovaciones modernas como los aviones y la globalización a gran escala han hecho que la enfermedad pueda desplazarse fácilmente a un nuevo lugar antes de que nadie sepa siquiera que existe un problema. Las películas y los espectáculos pueden contener una exageración del ritmo con el que se propagan normalmente las enfermedades, pero pone de manifiesto lo susceptibles que somos si no tenemos cuidado. Esto debería servir más como una precaución y un recordatorio para ser cuidadoso y controlar los destinos antes de que usted los visite y después de que regrese. Las acciones preventivas como las inyecciones y el control de salud pueden ayudar a identificar más rápidamente los problemas si surge algo.

# Capítulo 2 - La peste negra

La plaga bubónica ha reaparecido ocasionalmente a lo largo de la historia para recordar a la humanidad que nada debe darse por sentado. Dejó su huella en Europa, Asia y África, con un número de muertes que es casi inimaginable hoy en día. Cuando pensamos en la peste negra, pensamos en ella como un problema que se ha repetido en nuestra historia y no como una preocupación por nuestro futuro. Pensamos en las personas que sufrieron el dolor y el pánico como desafortunados e ignorantes porque la ciencia no había progresado lo suficiente como para explicar lo que causó la plaga. Los eventos fueron más bien una tormenta perfecta que se llevó la vida de muchos millones de personas. Sin embargo, como se mostró en el capítulo anterior, la enfermedad no es tan remota en la historia como nos gustaría creer.

Entender la peste bubónica es mucho más fácil hoy en día porque la tecnología ha avanzado mucho más allá de la seudociencia y el misticismo de la Europa medieval. Aunque hay cierto debate sobre varios aspectos de la enfermedad, el diagnóstico anual de las personas que la padecen no deja mucho margen para la incertidumbre sobre el funcionamiento de la plaga.

## Tipos

Existen tres tipos de plagas, todas ellas causadas por la Yersinia pestis, una bacteria. Si no se trata, los tres tipos son generalmente mortales, incluso el tipo menos potente, la peste bubónica, como la historia ha demostrado ampliamente. Esto se debe en parte a que se propaga si no se trata y puede causar una de las formas más letales.

## Peste bubónica

La forma más infame de la peste es la peste bubónica, y sigue siendo la forma más común. En esta forma, la bacteria ataca los nodos linfáticos. Esta plaga deriva su nombre de los ganglios linfáticos hinchados y dolorosos que están infectados, a menudo llamados bubones. Los pacientes con este tipo de plaga tendrán los ganglios linfáticos hinchados en el cuello, debajo de los brazos y alrededor de la ingle. Si no se trata, puede empezar a infectar otros órganos y sistemas vitales, sobre todo los sistemas circulatorio y respiratorio.

## Peste septicémica

Considerablemente más peligrosa que la peste bubónica, la bacteria infecta y viaja a través de la sangre. Esto significa que se propaga mucho más rápidamente si no se trata.

## Peste neumónica

Como su nombre lo indica, esta versión de la enfermedad comienza atacando los pulmones. De los tres tipos, es la menos común y siempre es fatal si no se trata. Sus síntomas son similares a los de muchas otras dolencias respiratorias, por lo que es otra razón por la que hay que visitar a un médico cuando se tienen problemas respiratorios.

A diferencia de los otros dos tipos, la peste neumónica se transmite por el aire, por lo que se puede contraer al estar expuesto a alguien que la tenga y haya estado tosiendo cerca de usted. Si se determina que usted tiene la peste neumónica, debe informar a todas las personas que han estado expuestas a usted recientemente para que puedan ser revisadas. Es fácilmente la forma más peligrosa de la plaga, ya que no necesita otro agente para transmitir la enfermedad entre dos personas.

## Síntomas

Cada uno de los tres tipos de plaga tiene sus propios síntomas, lo que facilita la determinación del tipo de plaga que tiene una persona. La incubación de la peste es entre un día y una semana. Típicamente, una persona que contrae la dolencia comenzará a mostrar signos en menos de una semana, aunque para los que tienen la peste neumónica, los síntomas pueden presentarse en menos de un día.

Casi todos los enfermos empiezan sintiendo frío o escalofríos y tienen fiebre al principio del período de incubación de la enfermedad. Tienden a sentir dolor y también a tener dolores de cabeza frecuentes o constantes durante las primeras etapas.

La peste bubónica recibió su nombre del síntoma más obvio que exhibe un enfermo: los nódulos linfáticos hinchados. Además de la hinchazón, los bubones se vuelven sensibles y dolorosos (incluso sin presión adicional). Cuando no se tratan, las llagas abiertas pueden formar ese exudado de pus.

La plaga septicémica comenzará a mostrarse de maneras mucho más alarmantes. Por ejemplo, el enfermo tendrá hemorragias visibles bajo la piel o los orificios, como la nariz, la boca o el ano. Sus extremidades tienden a volverse negras (nariz, dedos de las manos y pies ennegrecidos son signos comunes de que la dolencia está progresando). Suele ir acompañada de aparentes dolencias estomacales, como vómitos y diarrea.

Una de las razones por las que la gente tiende a esperar para buscar ayuda para la peste neumónica es que los síntomas iniciales se presentan como si no fueran diferentes de los de muchas otras enfermedades respiratorias. El enfermo comenzará a toser y a tener problemas para respirar. En algún momento, la tos incluirá sangre, lo que es un signo obvio de que la enfermedad es muy grave y no debe ser ignorada. Al igual que los que tienen la peste septicémica, las personas que tienen la peste neumónica también pueden experimentar problemas abdominales, incluyendo vómitos.

Es importante señalar que si la peste bubónica no se trata, es muy probable que resulte en uno o ambos de los otros tipos. La bacteria infectará todas las partes del cuerpo, como se ve en los registros de la peste negra. Las primeras víctimas de la enfermedad tendían a tener la peste bubónica, ya que sus síntomas eran los ganglios linfáticos inflamados. Sin embargo, también se le llama la peste negra porque muchas de las víctimas tenían claramente los síntomas de la plaga septicémica después de unos pocos días. Sus cuerpos comenzaron a sangrar y a volverse negros incluso antes de morir. Con el tiempo, es igual de probable que la enfermedad se hubiera propagado sin pulgas porque muchas personas tenían bacterias en todos sus sistemas vitales, incluyendo el sistema respiratorio. Basándose en la rapidez con que la enfermedad se propagó con el tiempo, y en el hecho de que se dijo que muchas de las víctimas habían mostrado signos al día siguiente de entrar en contacto con alguien que tenía la enfermedad, es muy probable que la peste neumónica desempeñara un papel tan importante como la peste bubónica en la eliminación de un gran porcentaje de la población europea.

## Medios de propagación de la infección

La mayoría de la gente hoy sabe que la plaga es llevada por ratas y ratones y es transferida por las pulgas. Esto es cierto, pero no son los únicos portadores. Cualquier animal que pueda atraer a las pulgas, particularmente perros y gatos, son portadores potenciales. Sin embargo, la peste neumónica no se transmite por mordeduras de pulgas, sino por patógenos transportados por el aire. Si se expone a alguien con esta forma de la plaga, puede contraerla sin ninguna interacción de las pulgas.

Se cree que hubo una combinación de las tres formas de la plaga que acabó con gran parte de Europa. Es muy posible que parte de la población hubiera contraído la peste neumónica y se hubiera extendido a los nódulos linfáticos, dando como resultado que se parezca a la peste bubónica. Aquellos que la contrajeron a través del aire probablemente habrían muerto mucho más rápido, ya que sus pulmones habrían empezado a fallar en las primeras etapas de la enfermedad. Con un período de incubación que puede ser inferior a 24 horas, las personas pueden empezar a mostrar signos de haber contraído la enfermedad en un solo día. Por eso es tan importante que el diagnóstico se haga lo antes posible después de la aparición de los síntomas y que los demás sepan si han estado potencialmente expuestos.

## Todavía alrededor

Una de las cosas más inquietantes de la peste negra es que nunca ha desaparecido. La gente hoy en día tiende a pensar en ella como un horrible evento que ocurrió en un pasado muy lejano. Incluso aquellos que son muy conscientes de la cantidad de muertes que causó durante el siglo XIX y hasta el siglo XX piensan que es un problema que la ciencia ha conquistado.

Sin embargo, esto no es del todo cierto.

La peste bubónica nunca ha sido designada como una enfermedad que haya sido erradicada. Como las vacunas han hecho que la viruela, la poliomielitis y algunas otras enfermedades más "modernas" sean cosa del pasado, muchas personas asumen que una infección que causó tan insondable cantidad de muertes hace siglos quedó en el pasado. Pero la peste bubónica sigue siendo una enfermedad que la gente sufre hoy en día –en la mayoría de los continentes habitados– y la gente debería ser consciente de que la peste es una enfermedad que se puede contraer actualmente.

Debido a que es una enfermedad bacteriana, no existe una vacuna para la peste bubónica. En los países desarrollados, no es probable que sea mortal si se detecta a tiempo. Como es una infección bacteriana, los profesionales médicos pueden tratar la peste bubónica con antibióticos, y los pacientes tienen una tasa de supervivencia muy alta hoy en día. Sin embargo, si no se detecta a tiempo, puede resultar en graves riesgos para la salud, pérdida de extremidades y la muerte.

A continuación se presentan algunas estadísticas sobre la plaga basadas en varias organizaciones de salud diferentes.

- La Organización Mundial de la Salud continúa rastreando la plaga y ha publicado las siguientes estadísticas, que se actualizan regularmente:
    - Entre 2010 y 2015, se reportaron 3.248 casos. De ellos, 584 personas murieron. Aunque el número de casos reportados es un porcentaje increíblemente pequeño de la población mundial, la tasa de mortalidad de esos casos fue de casi el 18%. La mayoría de las zonas con muertes se encontraban en países en desarrollo o en zonas con pocas o ninguna opción médica.

    - La peste bubónica tiene una tasa de fatalidad de entre 30-60% cuando no es tratada. Siempre hay efectos a largo plazo para aquellos que sobreviven sin tratamiento, incluyendo una menor calidad de vida. La peste neumónica es casi 100% mortal si no se trata.

- o La mayoría de los casos reportados de peste se encuentran en Perú, Madagascar y la República Democrática del Congo.

– Se han reportado casos de la plaga en muchos países considerados modernos (y probablemente considerados seguros), entre ellos China, India, Mongolia, Vietnam y los Estados Unidos. La última epidemia de la plaga se produjo en 2006 en la República Democrática del Congo, y se estima que causó 50 muertes.

– Según el Centro de Control de Enfermedades de los Estados Unidos, este país tiene un promedio de 1 a 17 casos por año, y más del 80% de los casos reportados son de peste bubónica. No hay un límite de edad para quien la puede contraer, pero el 50% de los casos reportados son en personas entre 12 y 45 años.

– Aunque hoy en día está estrechamente vinculada en la mente de las personas con Europa, en realidad no se ha informado de ningún caso de la enfermedad en Europa en los últimos años.

Recuerde, la plaga puede ser transferida a través de insectos parásitos, pero ese no es –y nunca ha sido– el único medio de contraer la enfermedad. La versión más mortal se contrae sin necesidad de exponerse a las pulgas y actúa mucho más rápido. Ser consciente de que tiene otros medios de propagación puede ayudar a detectar el problema antes para que se pueda buscar un tratamiento adecuado. El hecho de que sea tratable no significa que no sea peligroso o incluso mortal.

# Capítulo 3 - El uso improbable de la peste negra

Una de las historias más interesantes, y ciertamente más inesperadas, del horror de la peste negra no es sobre las secuelas (aunque son fascinantes y todavía son visibles hoy en día) o la forma en que actuó como un gran ecualizador. Actualmente, a menudo consideramos la guerra biológica como un desarrollo moderno, algo que nadie podía hacer antes de que la tecnología evolucionara lo suficiente como para convertir en armas el uso de enfermedades contra el enemigo. Sin embargo, una de las formas no muy discutidas para su introducción en Europa es la posibilidad de que la peste negra fuera convertida en arma y dirigida contra un determinado grupo de personas. Esta guerra biológica era burda, y claramente, las personas que la usaban no tenían las mismas reservas para matar a cualquiera que entrara en contacto con ella que las que pudiera tener alguien del ejército. Sin embargo, se registró como un arma utilizada durante el asedio de una ciudad, y las ramificaciones ciertamente fueron más allá de lo que se pretendía originalmente. Esto sirve no solo como una lección sobre la historia, sino también sobre el uso continuado de las armas biológicas y lo irresponsable que es intentar usarlas porque las consecuencias pueden ir más allá de lo que se pretende.

## Un tipo de fuente diferente

Lo que se sabe de una de las formas en que la peste negra llegó a Europa proviene de las memorias de un comerciante italiano llamado Gabriele de' Mussi. Mientras la plaga se extendía en áreas fuera de Europa y eventualmente se abría paso hasta el continente, de' Mussi nunca dejó Piacenza, Italia. Esto significa que sus relatos con las descripciones de los eventos y la enfermedad no fueron influenciados por los viajes al extranjero. El significado de esto es que la peste negra muy probablemente llegó al continente de más maneras que a través de los marineros enfermos que llegaron a la ciudad portuaria de Messina, Sicilia. Dado que la plaga se había extendido a muchas áreas diferentes fuera de Europa, está casi garantizado también que entró a través de múltiples lugares. Pero la gente prefiere tener una única fuente definitiva, y eso ha llevado a especular sobre un único punto de entrada para la mortal enfermedad. Exploraremos un par, aunque este escenario es el que se convirtió en el más conocido y el más documentado después de que la plaga comenzara a extenderse. Aun así, dada la rapidez con la que la enfermedad se propagó por el continente, es mucho más probable que hubiera más de un caso de la plaga entrando en la población de Europa.

Dado que hay al menos dos métodos diferentes a través de los cuales la enfermedad llegó al continente, esto muestra cuán devastadores fueron los efectos, ya que se propagó rápidamente desde dos áreas diferentes, en lugar de tener una sola fuente.

## Apuntando al culpable

Como se verá más adelante, mucha gente creía que la plaga era un castigo de Dios o un complot de una pequeña minoría de personas. Mucho antes de la llegada de la enfermedad mortal a Europa, estaba creando problemas y diezmando las poblaciones en todo el mundo conocido. Durante la década de 1340, la población de Crimea estaba bajo la amenaza de la peste negra, la cual había creado pánico.

En Crimea, se estimaba que unas 85.000 personas habían muerto a causa de la enfermedad. No hay registros de por qué se culpó a unos pocos comerciantes europeos, pero se sabe que los tártaros (la población predominante de Crimea) decidieron que necesitaban enfrentarse a los comerciantes cristianos que trabajaban en la ciudad llamada Tana. Es posible que el odio se basara en la relación muy hostil entre los tártaros y los genoveses, y la confrontación subsiguiente puede haber sido totalmente ajena a la peste negra en un principio.

Los mercaderes que trabajaban en una porción del mercado compuesta principalmente por comerciantes genoveses huyeron cuando se enfrentaron a los tártaros. Tenían un refugio seguro en la ciudad costera de Caffa (actualmente Feodosia). Con un gran interés económico en la zona, los genoveses habían creado un lugar fortificado donde podían tener un punto de apoyo en Crimea y seguridad en caso de necesidad.

## El asedio de Caffa

De' Mussi proporciona un relato del asedio que es a la vez horroroso e intrigante. Aunque muchas de sus memorias son más bien un dictado moral y llaman a la gente a arrepentirse de sus pecados, muestra que hubo un entendimiento por parte de la gente más educada de que la plaga era también, al menos en parte, un resultado de la crueldad humana.

Cuando los tártaros comenzaron su asedio a Caffa, la plaga los siguió. Fuera de Caffa, comenzaron a morir en gran número. Según de' Mussi, esto hizo que los tártaros se replantearan su estrategia y volvieran a establecer prioridades.

> "Los tártaros moribundos, aturdidos y estupefactos por la inmensidad del desastre provocado por la enfermedad, y al darse cuenta de que no tenían ninguna esperanza de escapar, perdieron el interés por el asedio. Pero ordenaron que los cadáveres fueran colocados en catapultas y lanzados a la ciudad con la esperanza de que el intolerable hedor matara a todos los que estaban dentro. Lo que parecían montañas de muertos fueron arrojados a la ciudad, y los cristianos no pudieron esconderse, huir o escapar de ellos, aunque arrojaron tantos cuerpos como pudieron en el mar... un hombre infectado podía llevar el veneno a otros, e infectar a la gente y a los lugares con la enfermedad solo con mirar.
>
> ...Como sucedió, entre los que escaparon de Caffa en barco, había algunos marineros que habían sido infectados con la enfermedad venenosa. Algunos barcos se dirigieron a Génova, otros fueron a Venecia y a otras zonas cristianas. Cuando los marineros llegaron a estos lugares y se mezclaron con la gente de allí, fue como si hubieran traído espíritus malignos con ellos... Así la muerte entró por las ventanas, y mientras las ciudades y pueblos se despoblaban sus habitantes lloraron a sus vecinos muertos".

Según las memorias de de' Mussi, el asedio no era sostenible porque muchos de los que esperaban en las puertas estaban muriendo por la enfermedad. Como no podían atacar a los cristianos, los tártaros decidieron volver a casa, pero no sin antes encontrar una forma mucho más horrible de hacer pagar a los cristianos por su arrogancia. Con demasiados cuerpos para llevar a casa, los tártaros usaron sus catapultas para lanzar a sus muertos a la fortaleza de Caffa. La traducción suena como si de' Mussi creyera que los tártaros solo querían que los cristianos lidiaran con las mismas escenas y olores horribles. Es muy probable que los tártaros supieran exactamente lo que hacían: los cadáveres eran usados como parte de una guerra biológica. Sabían que la gente de la ciudad tendría que enfrentarse a cosas mucho peores que a cadáveres en descomposición y a un olor desagradable. Infectaron intencionalmente a la gente de la ciudad, ya que las fortificaciones evitaban que los cristianos estuvieran expuestos a los mismos horrores de la peste negra con los que estaban lidiando. En ese momento, la enfermedad no había llegado a las costas de Europa, por lo que los europeos no sabían lo horrible que era la enfermedad.

Todo eso cambiaría una vez que los pocos sobrevivientes que huyeron de Caffa llegaran a Europa. La peste negra no era una retribución divina como la mayoría de Europa pensaría. Es casi seguro que la introducción de la enfermedad, al menos en parte, fue el resultado de una temprana y exitosa guerra biológica intencional. Algunos incluso especulan que los marineros que llegaron a Sicilia fueron algunos de los que huyeron del ataque, no logrando escapar a tiempo y trayendo la enfermedad con ellos.

## Las ramificaciones del uso horrible de la peste negra en la guerra

Las memorias de de' Mussi proporcionan una información muy inesperada y educativa, ya que muestran que había una conciencia de que no era solo un castigo del Dios cristiano. Él creía que la plaga que arrasó con gran parte de Europa fue un resultado directo del asedio a la única fortaleza genovesa de Caffa. Había otra explicación que fue ignorada en gran medida, y que involucraba a lo que la mayoría de los europeos llamaban paganos, ya fueran musulmanes, budistas o cualquier otra religión que no fuera cristiana. Si la peste negra era un castigo, provenía de otro grupo de personas, no del Dios cristiano, como creían muchas de las personas menos educadas. La gente que estaba a cargo no estaba dispuesta a condenar a los paganos fuera de Europa, ya que económicamente no era lo ideal hacer un corte en el comercio con ellos. Para seguir forrándose los bolsillos, los poderosos y ricos ignoraron este aspecto de la introducción de la peste negra para poder seguir beneficiándose financieramente. Aquellos que sabían mejor prefirieron culpar al pecado y a las transgresiones en lugar de cortar el comercio con un país que ayudó a matar entre un cuarto y una mitad de la población de Europa.

En parte, lo veían como una prueba de que los paganos eran horribles. Esto no disuadió a los comerciantes europeos de mantener relaciones y comerciar con ellos en el extranjero, pero fue usado contra aquellos paganos que eligieron vivir en Europa entre los cristianos.

Es cierto que algunos de los primeros casos de la peste negra en Europa comenzaron después del asedio de Caffa. El siguiente capítulo abarca la serie de acontecimientos más ampliamente aceptados, pero es casi seguro que los acontecimientos de Caffa desempeñaron un papel tan importante en la introducción y difusión de la peste negra en Europa como el barco que atracó en Messina ese fatídico día de octubre de 1347.

# Capítulo 4 - Rumores y la llegada

La peste negra se refiere a los diferentes tipos de plagas durante un solo punto de la historia europea. La plaga se extendió por primera vez entre 1346 y 1353, con unos pocos años entre brotes. Continuó apareciendo y cobrándose vidas periódicamente, pero estos fueron los períodos más devastadores en los que pereció una parte importante de la población. Si una persona caía enferma con la enfermedad, era casi tan buena como una sentencia de muerte. Hoy en día la gente la llama la peste bubónica, pero es realmente más exacto llamarla la plaga porque los tres tipos estaban ciertamente presentes. Las personas que murieron más rápido probablemente contrajeron la peste neumónica, pero los signos de la peste bubónica estaban a menudo presentes, ya que la bacteria no atacaba solo un aspecto del cuerpo. Hubo unas pocas personas que sobrevivieron, pero eran una muy pequeña minoría. Aunque el nombre no se usó durante la época en que la enfermedad estaba desenfrenada en Europa, el término se refiere casi exclusivamente al siglo XIV, cuando la enfermedad se cobró la vida de hasta la mitad de toda la población europea.

Esto es quizás irónico, ya que los europeos tuvieron años de advertencia antes de su llegada. Sin embargo, el problema solo era conocido por un porcentaje muy pequeño de la población, e incluso para ellos, la enfermedad estaba matando gente en algún lugar en el extranjero. Para ellos, era un desafortunado caso de problemas que solo los paganos de Oriente tenían que enfrentar, y algunos creían que la razón de la aflicción era porque los paganos no tenían las mismas creencias religiosas. Sus dioses no eran tan poderosos como el que se adoraba en Europa, así que se dejó a los pueblos de Oriente para que sufrieran. Pronto, los europeos aprenderían cuán equivocada era su indiferencia, sus ideas distantes y sus sentimientos de superioridad religiosa.

## La muerte en las principales rutas comerciales

Mucho antes de que la plaga llegara al continente, la clase culta y elitista de Europa había oído hablar de ella. El raro mercader que fue lo suficientemente valiente para viajar por el mundo volvió a Europa con historias horribles de una enfermedad que no crearía el tipo de alarma que debería tener. Las historias estaban demasiado lejos y el peligro era intangible. El tiempo pronto probaría que los rumores de las rutas comerciales deberían haber sido escuchados en lugar de ser desestimados. Había algunos comerciantes que pudieron proporcionar algunos detalles de la rapidez con que la plaga había progresado, así como ser capaces de enumerar algunos de los signos de la enfermedad. Es muy probable que los comerciantes transmitieran ciertos detalles, pero su audiencia solo lo escuchó como una desgracia que le ocurrió a los paganos que vivían en lugares extranjeros. Había cierta simpatía por el pueblo, pero no significaba nada para la gente de Europa.

Los cuentos indudablemente incluían información sobre la rapidez con la que la muerte llegaba a aquellos que estaban marcados por los grandes bubones y que una semana más tarde casi todos los que estaban marcados morirían. Con una tasa de mortalidad tan alta entre los afligidos en lugares lejanos, había muchas razones para que los pueblos de Europa sintieran compasión. El problema era que esto también debería haber servido como una advertencia. No todos los que sufrían morían. El hecho de que los comerciantes que habían viajado a las zonas afectadas y vivieron para proporcionar descripciones debería haber sido una advertencia de que era posible que la enfermedad viajara.

En cierto modo, había personas que eran conscientes de que la "Gran Pestilencia" que asolaba a otros países a lo largo de las rutas comerciales podía ser un problema. Los puertos tenían cierto nivel de medidas de precaución, ya que estaban al acecho de señales de los marineros y los que llegaban en los buques al puerto estuvieran infectados. Después de todo, los marineros también habían llegado a tierra con la noticia de la misteriosa peste que afectaba a las ciudades extranjeras, por lo que las noticias procedían de varias fuentes y no solo de los comerciantes que sobrevivían a las rutas comerciales.

El problema era que había un cierto nivel de ignorancia piadosa y un falso sentido de protección, ya que la enfermedad había estado plagando a otras naciones a lo largo de las principales rutas comerciales. Los países que habían sido grandes socios comerciales, como China, India, Persia, Siria y Egipto, habían experimentado lo peor de la enfermedad. Al mismo tiempo, sin embargo, todos ellos estaban gobernados por paganos, y sus dioses no eran el Dios de Europa. En cierto modo, los europeos creían que se salvarían porque pensaban que su Dios les protegía de los males que se propagaban en otros lugares. El hecho de que siguieran siendo el único gran socio libre de plagas a lo largo de las rutas comerciales era la prueba de que su religión era la correcta.

Lo que no se dieron cuenta fue que la plaga se estaba abriendo paso desde su punto de origen en China y se estaba extendiendo hacia el oeste. La India y Persia estaban todavía a cierta distancia, así que eso no hizo que los europeos fueran cautelosos. Sin embargo, cuando llegó a Egipto, debieron ser mucho más cautelosos porque el viaje a través del Mar Mediterráneo no estaba tan lejos como la ruta terrestre a China. Los marineros que hicieran la travesía no perecerían todos antes de llegar a las costas de Europa.

A medida que la plaga avanzaba, la élite de Europa que había oído hablar de ella sentía una falsa sensación de seguridad. Incluso si llegaba a sus costas, creían que aún estarían a salvo. Esta sensación de invulnerabilidad ocultaba un problema mayor. Con poca gente educada en Europa, había muy poca gente que tomara algún tipo de precauciones. La falta de preparación sería parte de la razón por la que la enfermedad tendría un impacto sin precedentes en tantas naciones europeas. La gran mayoría de las personas que no vivían cerca de los puertos desconocían por completo la enfermedad, lo que los hacía increíblemente susceptibles a la exposición una vez que comenzó a desplazarse tierra adentro.

Este sentido de superioridad religiosa también terminaría volviéndose en contra de la gente de Europa. La gran mayoría de la gente vería la peste negra como una señal de la ira de Dios. La élite no sabría cómo escapar de ella porque rápidamente se demostró que incluso sus castillos, monasterios y tierras más remotas no eran inmunes a la plaga. También fue uno de los principales puntos de inflexión en la estructura del poder político. Mientras la gente veía a sus seres queridos morir una muerte espantosa y luego la sufrían ellos mismos, perdieron la fe en las enseñanzas de la élite.

Nadie podía predecir exactamente lo que sucedería una vez que la enfermedad llegara finalmente a las costas europeas, y su falta de previsión fue lo que finalmente causaría tantas muertes. Era casi una certeza que la plaga llegaría a los puertos europeos. Los mercaderes y comerciantes de los caminos tradicionales no sobrevivieron al viaje o no intentaron viajar si estaban enfermos, lo que significa que la plaga probablemente no entró a Europa por tierra. El mayor riesgo de que la enfermedad llegara a las costas era a través de los que comerciaban a lo largo del mar Mediterráneo.

Es casi seguro que los comerciantes genoveses que sobrevivieron a Caffa ayudaron a introducir la plaga en algunas partes de Europa, pero se sabe con certeza que uno de los primeros casos registrados ocurrió en un puerto de Sicilia llamado Messina. Dada la rapidez con la que se propagó la enfermedad, es probable que hubiera múltiples barcos que trajeron la plaga a la costa, pero este puerto en particular fue el que cayó en la infamia como el portador de la enfermedad más mortal que golpeó a Europa.

## La infame llegada —más que un barco

Hasta octubre de 1347, la "Gran Pestilencia" no fue más que una desgracia que golpeó a otras naciones en otros continentes. Había estado trabajando hacia el oeste, pero había llegado primero al norte de África, sin llegar a Europa. Eso no significaba que la gente a lo largo de las ciudades costeras no estuviera protegida contra ella. Incluso las personas que no estaban tan bien educadas habían oído rumores de una terrible enfermedad porque los marineros habrían oído hablar de la epidemia cuando estaban lejos de casa. Habiendo oído hablar de la plaga, sabían que estaban en peligro, pero no tomaron ninguna precaución con los barcos cuando llegaron y se fueron.

Durante ese octubre, una docena de barcos llegaron y atracaron en Messina. Estos doce barcos serían más tarde apodados "los barcos de la muerte", y hubo muchos testigos de los horrores que trajeron al puerto. La gran mayoría de los marineros de los barcos ya estaban muertos cuando llegaron los barcos, y sus cadáveres mostraban horribles pruebas de lo dolorosa que habría sido su muerte. Peor aún eran los marineros que aún estaban vivos. No mucho mejor que los cadáveres, estaban claramente sufriendo lo que sus compañeros ya habían soportado. Los pobres marineros estaban claramente enfermos, ya que estaban cubiertos de bubones. Las ronchas eran grandes, negras y rezumaban tanto pus como sangre. Los testigos de la condición de estos marineros estaban mortificados porque la enfermedad de la que se había hablado en las costas extranjeras había llegado finalmente a su propia costa.

Tan pronto como las autoridades del puerto se dieron cuenta de lo que había a bordo de los barcos, exigieron la inmediata retirada de los mismos, sin importar el estado en que se encontraban los marineros. No se hizo ningún intento de tratar a los marineros ni de dejarlos permanecer en el puerto, ya que la enfermedad podía potencialmente infectar a otros. Al alejar los barcos de sus costas sin dar a los marineros moribundos un nuevo destino, las autoridades se aseguraron de que otros lugares corrieran la misma suerte.

Sin embargo, los barcos ya habían atracado y hubo gente a bordo que presenció las terribles condiciones de los barcos. Durante mucho tiempo, los historiadores especularon con que las pulgas de los barcos eran la fuente de la plaga que llegó a las costas de Sicilia ese día. Ahora sabemos lo que los científicos han aprendido desde entonces al estudiar la pandemia y es que la plaga también podría ser contraída a través del aire. Ninguna rata, ratón u otro roedor tendría que haber llegado a la costa, lo que habría sido difícil considerando la rapidez con la que los barcos fueron retirados. Es muy probable que muchos de los primeros casos fueran en realidad el resultado de la peste neumónica en aquellas personas que vieron a los marineros moribundos, particularmente si estaban en los últimos estertores de la muerte. Los cuerpos de los vivos habrían estado liberando numerosos fluidos al aire a través de sus heridas llenas de pus y sangre, tos incesante y vómitos y diarrea. Cada uno de los barcos habría tenido más que suficientes patógenos en el aire para haber infectado a las personas que presenciaron las terribles escenas a bordo.

## La falta de contención del problema

Uno de los primeros problemas fue que nadie trató de contener la plaga en los primeros días. Temerosos de permanecer donde estaban y potencialmente expuestos, la gente huyó a otras ciudades. Sin embargo, los mercaderes y comerciantes continuaron con sus rutinas diarias. Cuando Shakespeare escribió *Romeo y Julieta*, el continente era consciente de la necesidad de las cuarentenas, y el resultado en esa historia fue que el sacerdote fue detenido debido a una cuarentena por lo que Julieta no se enteró de que Romeo seguía vivo. No existía un protocolo de seguridad como este cuando la peste negra golpeó por primera vez a Europa.

Muchas de las personas en Europa que conocían los problemas en el extranjero no creían que fuera a ser un problema que les afectara. Esta falta de previsión y planificación significó que no se molestaron en estudiar las formas de controlar la enfermedad. Aunque la peste negra mató a grandes porciones de la población de todo el mundo durante esta pandemia, pocos se vieron tan trágicamente afectados como Europa. Algunos de los otros países y civilizaciones habían aprendido de la anterior peste de Justiniano, pero la gente de Europa había ignorado en gran medida lo que no estaba a su alcance. Esto significaba que no estaban preparados para enfrentarse a una enfermedad que se extendía rápidamente. La plaga mató a grandes porciones de todas las poblaciones donde se propagó, pero en ningún lugar se registró el número de muertes visto en Europa y China. Como lugar de origen de la plaga, China no tuvo tiempo de prepararse. Europa, por otro lado, debería haber visto la enfermedad viajando hacia sus costas. Eligieron creer que su Dios los protegería en lugar de prepararse para la posibilidad de que la enfermedad llegara a su hogar.

Muchos hoy en día piensan que podría haber sido tan fácil de controlar como erradicar las pulgas y otros insectos parásitos, pero por supuesto, no tenían la misma comprensión que nosotros. Era la Edad Media de Europa, y la ciencia había sido ignorada en gran medida desde la caída de Roma. La superstición y la religión regían sus vidas, y la gran mayoría de la población era analfabeta. Aun así, el hecho de que la gente hoy en día piense que el número de muertos podría haberse reducido significativamente con un mejor control de plagas muestra que la gente aún no se toma el tiempo para entender completamente los riesgos de las pandemias. No hay duda de que las pulgas y otros portadores propagan la enfermedad, pero ese no fue el único medio de propagación de la peste. La plaga también se transmite por el aire, por lo que quienes atendían a las personas cuyos pulmones estaban afectados respiraban la plaga, por tanto el problema no eran solo las pulgas. Este tipo de entendimiento a medias es tan peligroso hoy como lo fue hace siglos.

Si se hubiera permitido que el barco se quedara en el puerto y se hubieran eliminado los cuerpos y se hubiera establecido una cuarentena, es muy probable que la plaga todavía hubiera llegado a Europa. Era todo menos una inevitabilidad. Quizás no habría sido tan desastroso si los barcos hubieran permanecido en el puerto. Con doce barcos que transportaban marineros muertos y sin un puerto que los acogiera, significaba que los barcos acabarían en otras áreas a lo largo de la costa. Incluso si todos los marineros estuvieran muertos, los barcos habrían llegado a otros lugares a lo largo de la costa. Y una vez allí, la gente abordaría los barcos para encontrar la espeluznante escena, y la enfermedad llegaría a otras víctimas. El daño podría haberse minimizado manteniendo los barcos en Messina, pero no había suficiente comprensión de la enfermedad, y mucho menos la capacidad de mantenerla contenida. El envío de los barcos de vuelta al mar Mediterráneo resultaría ser una decisión devastadora para todo el continente.

Una de las principales lecciones que se pueden sacar de esto hoy en día es que los problemas no pueden ser simplemente enviados lejos. Es muy probable que este no fuera el único incidente, y que toda la culpa de lo que vendría no pueda recaer en la gente de Messina. A menudo se señala como el punto en el que la peste negra llegó finalmente al continente, pero es casi imposible que haya sido el único caso. Incluso hay dudas de que fuera el primer encuentro. Sin embargo, es el punto que se ha transmitido a través de la historia como el comienzo de uno de los eventos más horribles de la historia europea.

## Una falta de comprensión y preparación

A pesar de haber oído hablar de la "Gran Pestilencia", no se hicieron preparativos para combatirla si llegaba a las costas europeas. Hubo tiempo suficiente para que quienes habían oído hablar de ella se prepararan para la enfermedad, como hacen muchos países hoy en día. El principal problema era que Europa no había visto una pandemia importante en cientos de años. La peste de Justiniano no afectó mucho a Europa y, a pesar de haber ocurrido cientos de años antes, la población de Europa pudo haber visto esto como una prueba de que era inmune. El cristianismo ya había comenzado a escindirse, y la gente consideraba a los cristianos del Imperio bizantino como paganos. La gente de Europa y la gente del imperio lucharon juntos contra los musulmanes durante las primeras cruzadas. Sin embargo, para la Cuarta Cruzada de 1202 a 1204, los cristianos europeos decidieron atacar el imperio. En esta época, el imperio estaba experimentando el fin de su tiempo, aunque ya no era tan poderoso o grande como lo había sido. Europa había demostrado que era más poderoso que sus vecinos, al menos en sus propias mentes.

Esta mentalidad era probablemente una gran parte de la razón por la que los pueblos de Europa sentían que no era necesario preocuparse por la propagación de la plaga en el resto del mundo. Ciertamente había una arrogancia en el continente.

Otros lugares sufrían terriblemente de la enfermedad, pero ninguno de ellos sufriría en la misma escala que Europa. Los que estaban a lo largo de la ruta comercial probablemente tomaron algunas precauciones, aunque no está bien documentado cómo lo manejaron. Muchos lugares habían sufrido enfermedades graves o habían oído hablar de lugares devastados por la enfermedad. Tenían más experiencia, o al menos una experiencia más reciente. Cuando se supo en esos lugares que había una terrible enfermedad que estaba cobrando un gran número de víctimas, habrían hecho lo posible por prepararse en lugar de confiar en la suerte, la superstición o la intervención divina para mantenerlos a salvo.

La falta de una enfermedad reciente y de gran alcance perjudicó a la población de Europa. Durante siglos habían estado reconstruyendo las tierras tras la caída del Imperio romano. La repoblación era lenta, pero claramente estaban progresando. Los pueblos crecieron mucho más lentamente en Europa que en otros lugares del mundo conocido (Asia y África). En el siglo XIII, el número de ciudades en Europa era escaso, y el continente seguía estando casi exclusivamente compuesto por sociedades agrarias. Las ciudades que salpicaban el paisaje europeo eran casi todas de menos de 10.000 habitantes.

Italia fue uno de los primeros en rechazar el estilo de vida feudal que era común en Europa hasta el siglo XIII. Ahí es donde los pueblos y ciudades comenzaron a crecer a medida que la gente comenzó a buscar su propia fortuna. Era más fácil encontrar trabajo y ganarse la vida cuando había más gente alrededor. Los puertos atraían al mayor número de personas porque el comercio era más rentable y había muchas más opciones. La gente en Europa no estaba tan bien educada como los romanos en lo que respecta a los riesgos de comerciar con tierras extranjeras, por lo que no tenían ninguna protección real. A medida que los pueblos y ciudades comenzaron a prosperar, eran mucho más susceptibles a los horrores de la plaga que otros lugares que habían sido afectados. La gente vivía en barrios mucho más cercanos para protegerse de los forasteros. Las calles eran estrechas y las casas pequeñas, proporcionando una protección mínima. Tal vez uno de los peores elementos que impulsaron a la gente de Europa a propagar la enfermedad fue la falta de protección de sus fuentes primarias de agua, tanto para beber como para limpiar. Aunque el baño no era tan común entonces, se necesitaba agua fresca para beber y cocinar.

Todos estos elementos trabajarían en contra de la gente a medida que la peste negra se extendiera rápidamente entre ellos. Habían encontrado una forma de protegerse de las invasiones y de los humanos, pero no habían aprendido a luchar contra el tipo de enfermedad que era más familiar en otros continentes. Esto también se extiende a la forma en que manejaban los muertos. La gente de Europa no estaba preparada para lidiar con el número de cadáveres que quedaban tras la enfermedad. Al no haber lidiado nunca con este tipo de muerte a una escala comparable, no tenían los medios adecuados para lidiar con el vasto número de cadáveres.

Giovanni Boccaccio proporcionó una muy sucinta y triste descripción de los eventos durante este tiempo, ya que la gente comenzó a darse cuenta de que el problema era mucho peor de lo que podían haber imaginado.

> "Los cadáveres llenaban cada rincón. La mayoría de ellos fueron tratados de la misma manera por los sobrevivientes, quienes estaban más preocupados por deshacerse de sus cuerpos en descomposición que movidos por la caridad hacia los muertos. Con la ayuda de porteadores, si podían conseguirlos, sacaban los cuerpos de las casas y los ponían en la puerta; donde cada mañana se podían ver cantidades de muertos. Los colocaban en angarillas o, como a menudo faltaban, en mesas.
>
> Tal era la multitud de cadáveres llevados a las iglesias cada día y casi cada hora que no había suficiente tierra consagrada para darles sepultura.... Los cementerios estaban llenos, se les obligaba a cavar enormes zanjas, donde enterraban los cuerpos por cientos. Aquí los guardaban como fardos en la bodega de un barco y los cubrían con un poco de tierra, hasta que la zanja entera estaba llena".

*El Decamerón* proporciona una mirada descarnada a la forma en que la plaga arrasó Europa, la sensación de pánico y miedo, y la incapacidad de la gente de lidiar con la escala de muerte que trajo a sus hogares. Las tradiciones tenían que ser abandonadas, ya que los infectados casi siempre morían en una semana.

Las fosas comunes fueron en sí mismas un contribuyente significativo a la continuación de la enfermedad. Los carroñeros, roedores y otros animales se habrían sentido atraídos por el hedor y habrían llevado las pulgas más lejos de la fuente. A medida que los animales llevaban la plaga a nuevas zonas, morían, obligando a los parásitos a buscar otros huéspedes. De esta manera, las personas que morían continuaban el ciclo. Los vivos transmitieron la enfermedad a través de patógenos transportados por el aire, y los muertos ayudaron a fomentar la propagación a través de los parásitos y los animales que los encontraron.

# Capítulo 5 - Percepciones contra la realidad

A medida que los europeos se familiarizaron íntimamente con los costos de la peste negra, el pueblo se encontró completamente incapaz de hacer frente. Pueblos enteros murieron mientras la enfermedad se extendía por Europa, con muy pocas áreas que no se vieron afectadas. Tanto Europa continental como los países de las islas frente a la costa se vieron afectados. A pesar de los rumores sobre la Gran Peste, incluso aquellos que estaban mejor educados (principalmente los monarcas, el clero de la Iglesia católica y los de las ciudades portuarias) tenían una comprensión increíblemente limitada de lo grave que era la situación. No se habían preparado, y no tenían respuestas mientras buscaban una forma de evitar el contacto con la enfermedad mortal.

Los campesinos y la gente que trabajaba las tierras no tenían una educación formal. Todo su conocimiento sobre el mundo más allá de su vida diaria provenía del clero de la Iglesia. Tratar de entender lo que estaba sucediendo era imposible. Peor aún, las palabras de la Iglesia no lograron detener el progreso de la enfermedad, ya que el número de muertos aumentaba. Para muchos, debe haber parecido que el fin del mundo se acercaba, y fue entonces cuando el casi férreo control que la Iglesia tenía sobre la mayoría de la población comenzó a disminuir. Más adelante, este libro proporcionará más detalles sobre las consecuencias religiosas cuando se hizo evidente para la población general que el clero que los instruía no tenía más conocimientos sobre cómo contener el problema. Sin embargo, en los primeros días de la plaga, la gente se dirigió a sus líderes religiosos con la esperanza de ser salvados.

## Creencias religiosas

Tras la caída del Imperio romano de Occidente y la transición del Imperio romano de Oriente a lo que ahora llamamos el Imperio bizantino, la mayoría de Europa descendió a un estado que era similar al mundo anterior a la invasión romana. Tal vez la diferencia más notable fue que muchas de las áreas que habían estado bajo control romano se volvieron cristianas. El cristianismo se había extendido por la mayor parte de Europa después del saqueo de Roma. Con el tiempo, la Iglesia católica se convirtió en el poder dominante en toda Europa, particularmente cuando las regiones regresaron a sus grupos más pequeños una vez que los romanos se fueron. Países como Inglaterra y Francia comenzaron a tomar el control con nuevas monarquías que llenaban el vacío de poder.

Durante todas las guerras y el establecimiento de otras potencias, el cristianismo era una de las pocas cosas que mucha gente tenía en común. Por eso la Iglesia tenía un poder tan inmenso. Era muy diferente a lo que la mayoría de los europeos consideran el cristianismo hoy en día (había cinco escaños para la Iglesia católica, no solo el del Vaticano como lo es ahora), e incluía las regiones bajo el extenso control de los romanos que fundaron Constantinopla. Este fue el momento en que la Iglesia realmente comenzó a crecer y los cismas comenzaron a formarse. Mientras el imperio crecía y se establecía, los pequeños principados de gran parte de la Europa continental luchaban por controlar sus áreas. Con las numerosas luchas de poder a lo largo del continente y las islas, la gente recurrió a la religión para obtener instrucción y estabilidad.

Durante los siglos anteriores a 1340, la mayoría de la gente vivía su vida diaria solo esforzándose por sobrevivir. Los elementos de sus vidas que se ocupaban de la socialización, la ley y la moralidad provenían en gran medida de la Iglesia. La gente aprendió que solo la Iglesia podía instruirlos en asuntos del alma, y llegaron a confiar en esa instrucción para entender el bien y el mal. Como solo el clero estaba seguro de ser educado (incluso algunos monarcas eran analfabetos o tenían una capacidad muy limitada para leer), recaía en la Iglesia y sus representantes el saber cómo comportarse. Incluso actividades tan simples como comer debían ir acompañadas de la oración. Si alguien cenaba sin agradecer al benigno y amoroso Dios de Cristo, podía enfrentarse a la ira vengativa del Dios del Antiguo Testamento. Después de todo, Cristo había creído en el Antiguo Testamento; el Nuevo Testamento fue escrito por los hombres que sobrevivieron después de su muerte.

Existen muchos casos de abuso de poder de la Iglesia durante este tiempo, como cualquier grupo en el poder tiende a hacer. Como una de las pocas áreas unificadoras de la vida diaria de todo el pueblo, tenían considerablemente más influencia que los gobernantes y los terratenientes. Los hombres de la Iglesia (las mujeres de la Iglesia no tenían virtualmente ningún poder en Europa) tenían voz no solo en lo que era el comportamiento correcto en la vida, sino que también tenían un lugar para juzgar a la gente después de la muerte. Por ejemplo, a la gente se le podía negar el entierro en terrenos sagrados, lo que podía significar que nunca encontrarían la paz después de la muerte. Como se instruía a la gente para que creyera que su existencia después de la vida era más importante, muchos de los miembros de la población se esforzaban por al menos parecer morales a los ojos de sus vecinos y del clero.

El extenso poder de la Iglesia católica duró por siglos, abriéndose camino en la vida cotidiana para la gran mayoría de los que vivían en Europa. Cuando la plaga llegó al continente, la gente inicialmente se dirigió a la Iglesia en busca de salvación. La enfermedad que había sido un problema para los paganos lejanos había llegado a sus costas y estaba matando a los europeos en números que eran previamente inimaginables.

## Las primeras soluciones

Aterrorizados y buscando cualquier tipo de solución, el pueblo inicialmente siguió los dictados de su religión familiar. Al principio, la Iglesia comenzó a encontrar explicaciones para la enfermedad. Se culpó a la propia gente, y fue el Dios vengativo del Antiguo Testamento quien los castigó por sus defectos e insuficiencias. Se le dijo a la gente que sus pecados habían llevado a la enfermedad y que no se curaría hasta que se arrepintieran sinceramente.

Hipócritamente, mientras se culpaba a la gente y a sus pecados por la plaga, también se culpaba a la población judía de Europa. Se decía que ellos eran la fuente de la plaga. Aunque no fueron el único grupo al que se culpó, fueron los que recibieron la mayor parte de la culpa por la pandemia (a pesar de los esfuerzos de los tártaros, que posiblemente podían estar directamente relacionados con la llegada de la plaga al continente). Los que estaban en el poder no querían perder dinero deteniendo el comercio con otros países, por lo que en lugar de echar parte de la culpa donde era debido, optaron por utilizar chivos expiatorios para purgar otras religiones y personas de sus fronteras.

## El aumento de la flagelación para expiar

Para abordar sus propios pecados, la gente inicialmente trató de vivir sus vidas más en línea con la forma en que su clero les dijo. Como se hizo evidente que la simple expiación no era adecuada, se tomaron medidas más extremas para apaciguar a su Dios. Durante 1348, la gente comenzó a azotarse a sí misma para demostrar que estaban sinceramente arrepentidos de los pecados que habían cometido. Ciertos hombres se convirtieron en el principal medio para proporcionar el servicio de los azotes. Viajaban a diferentes pueblos para azotar a las personas que querían arrepentirse, con la esperanza de que fuera adecuado para protegerlos a ellos y a sus familias de la peste negra.

El proceso se llamaba flagelación, y los hombres que prestaban el servicio se llamaban Flagelantes. Los hombres que prestaban el servicio usaban un látigo hecho con correas de cuero, normalmente con más de una correa en cada látigo. Los pueblos eran muy hospitalarios con estos hombres, ya que creían que era la única forma de librarse de la espantosa enfermedad que se estaba propagando. En los primeros días, también fue un cambio bienvenido a las vidas tan mundanas que vivían. A medida que la enfermedad comenzó a atacar más cerca de casa, la gente comenzó a ver a los hombres como una de las últimas formas posibles de ser salvados de sus pecados.

La popularidad de la flagelación comenzó a plantear un desafío directo a la Iglesia. Muchos de los hombres que ofrecían el servicio habían decidido proporcionarlo sin ninguna aprobación o autoridad de la Iglesia. Debido a que comenzaban a ganar en popularidad (y la Iglesia estaba perdiendo el respeto y el temor de la gente), estos hombres fueron vistos como un desafío directo a la Iglesia. Al año siguiente, cuando el número de muertes comenzó a disminuir, la creencia de que los pecados podían ser purgados a través de la flagelación rápidamente se desvaneció, y la práctica casi cesó.

Los flagelantes (los hombres que azotaban a la gente para ayudar a purgar sus pecados y mostrar su arrepentimiento sincero) son comúnmente vistos como fanáticos. Las enseñanzas de la Iglesia de que la gente debería arrepentirse se llevaron a cabo varios pasos más, y fueron bienvenidas porque ofrecían algún tipo de solución al pueblo, aunque no funcionara. Era similar a un placebo religioso. En algunos casos, estos hombres llevaron la plaga a los pueblos que visitaron, sellando el destino de muchos. Esto era obviamente en oposición directa a lo que estaban tratando de proporcionar. Por otro lado, también proporcionaron un servicio que ayudó a la gente a sobrellevar la situación, a sentir que estaban haciendo algo para prevenir la propagación de la plaga o para preparar su alma para la próxima vida. Dado que nadie podía explicar la causa, esto era lo máximo que podía hacer el gran porcentaje de la población.

## Chivos expiatorios de la plaga

Además de matar a un gran porcentaje de las personas que la contrajeron, la peste negra inspiró a la gente a matar a otros. Aunque esto debería haber estado en directa oposición a las enseñanzas de Cristo, todavía había algunas personas que buscaban aprovechar la tragedia que se extendía por toda Europa.

Como ha sucedido repetidamente en la historia europea, uno de los principales chivos expiatorios fue la población judía. Como la Iglesia no tenía una explicación adecuada para el problema, ellos y otros en el poder comenzaron a culpar al pueblo judío en sus pueblos y ciudades, alegando que había una conspiración para extender la plaga por toda Europa. Se presentaron confesiones forzadas en el sistema legal en el que se afirmaba que importantes figuras de la comunidad judía admitieron haber puesto veneno en sus fuentes de agua. Hay incluso registros de algunos de estos procedimientos legales que sobreviven hoy en día, y muestran hasta dónde llegaría la gente en el poder para culpar a miembros judíos prominentes.

Se cree que el movimiento para culpar a la población judía de la peste negra comenzó en España y el sur de Francia. Se estima que de los 2,5 millones de judíos en Europa, un tercio vivía en esta región, y tenían una cantidad sustancial de riqueza. Estos miembros de la población no solo eran más acaudalados (creando celos sustanciales debido a su dinero y poder), sino que además tenían una gran educación. Entre sus muy diferentes posiciones económicas y sociales y sus creencias religiosas, eran un blanco bastante fácil. Los que querían más poder podían usar la idea de que el pueblo judío conspiraba contra los cristianos para que los que estaban en el poder pudieran robar su dinero y sus tierras. Los campesinos y los incultos seguían viendo al pueblo judío como la gente que mataba a su salvador, y probablemente creían que la misma gente no tendría ningún problema en matar a los cristianos.

La población judía se convirtió en un tipo de víctima completamente diferente de la época. Durante 1348, el rey Pedro de Aragón inició una violenta supresión del pueblo judío en Barcelona. Al menos 20 personas fueron asesinadas y sus hogares fueron saqueados, dos enseñanzas que fueron claramente condenadas por el Cristo que el rey proclamó seguir. Estallaron disturbios en otras ciudades de España, y más miembros de la comunidad judía fueron asesinados y sus propiedades robadas en nombre de la pacificación del Dios cristiano. Los judíos que vivían en España tenían sus propios lugares a los que podían huir dentro del país, ofreciéndoles protección contra la violencia perpetrada contra ellos.

Los judíos de otras partes de Europa eran tratados igual de mal, pero no tenían tanto poder o protección, a pesar de los intentos de otros en el poder. En Nápoles, la reina Juana trató de ayudar a aliviar algunos de los males cometidos contra la comunidad judía, pero sus funcionarios fueron expulsados por la gente de los pueblos donde se suponía que esos funcionarios debían hacer cumplir los impuestos.

Incluso el papa fue incapaz de proporcionar una protección adecuada. El 6 de julio de 1348, el papa Clemente VI emitió una bula que debía aplicarse a toda Europa occidental. Al final, solo terminó protegiendo a la comunidad judía de Aviñón y sus alrededores. La gente en gran parte del resto de Europa creyó en la propaganda que fue puesta en parte por señores y gobernantes menores que buscaban más poder y riqueza.

En toda Europa, el pueblo judío fue perseguido porque fue una de las pocas explicaciones que se dieron para el insondable desastre que se cobró vidas en toda Europa. Por supuesto, algunas personas se aprovecharon de la tragedia, pero un número mucho mayor de personas creían que el pueblo judío estaba propagando intencionadamente la enfermedad, a pesar de la falta de pruebas. Al igual que acogían a los flagelantes que venían a castigarlos por su propia culpa, el pueblo creía en la culpa de otro grupo de personas. No había ninguna razón real para lo que creían; mientras alguien estaba siendo castigado, la gente sentía que se estaba haciendo algo. A pesar de lo contradictorio que era creer tanto en su propia culpa como en la culpa de todo un pueblo de una religión específica, la gente de Europa estaba desesperada por una causa. Con la Iglesia fallando completamente en proporcionar una causa, solución, o incluso un consuelo adecuado, la gente rápidamente comenzó a perder la fe en las enseñanzas que previamente habían creído sin cuestionarlas. La persecución de la comunidad judía en toda Europa simplemente estaba agravando la tragedia inicial con otro tipo que mostraba lo peor de la humanidad.

## Los médicos de la peste

Los médicos de la plaga son uno de los pocos símbolos de este período de tiempo que ha sobrevivido. Aparecen en videojuegos (como *Assassin's Creed II*), televisión, películas y otros tipos de medios. Aunque la gran mayoría de las personas que pudieron huir lo hicieron, los doctores fueron de los pocos que realmente trataron de proporcionar servicios científicos prácticos que pudieran minimizar la propagación y aliviar el sufrimiento.

A diferencia de los médicos actuales, su principal trabajo no era curar a los pacientes, aunque lo intentaban cuando las familias estaban lo suficientemente desesperadas por sus servicios. Los médicos especialistas en plagas solían pasar el tiempo vagando por las calles y registrando información sobre los muertos. Los pueblos y ciudades pagaban para que estuvieran allí, así que la mayoría de los médicos de la peste trataban a cualquier persona que encontraban que estuviera enferma. Algunos de ellos tenían formación médica, pero no había nadie en Europa que entendiera la causa, y mucho menos que pudiera proporcionar una verdadera protección contra la peste negra. Si se llamaba a un médico especialista en plagas, frecuentemente era como un último esfuerzo para salvar la vida de alguien. En el raro caso de que alguien sobreviviera a la enfermedad, realmente fue más suerte o un sistema inmunológico fuerte que cualquier cosa que el médico de la plaga hubiera hecho.

Además de trabajar para registrar el número de personas que habían muerto y alguna información básica sobre las víctimas, a veces se les pedía a los médicos de la peste que realizaran autopsias de los muertos. El propósito principal de utilizar un médico especialista en la peste para este servicio era tener la documentación legal de una muerte necesaria para fines legales, como los testamentos. Algunos médicos utilizaban su posición para extorsionar a sus pacientes. Sin embargo, es difícil imaginar que ese fuera el principal motivador para muchos. Era una profesión de increíble alto riesgo, con un número significativo de médicos de la plaga muriendo, ya que estaban constantemente expuestos a los muertos. Además de una tasa de mortalidad increíblemente alta para su profesión, eran vistos como un paria dondequiera que fueran. Su papel estaba tan entrelazado con la muerte que hoy en día la gente puede reconocerlos sin mucha información sobre su papel durante la peste negra. Su papel llegó con cierto prestigio porque estaban dispuestos a ir a lugares donde otros se negaban a ir y a interactuar con los que estaban en su lecho de muerte. Su papel fue tanto crítico como extraño durante uno de los tiempos más oscuros de la historia europea, y ha estado arraigado en las mentes de los europeos hasta el día de hoy. Esto ha llevado a los médicos de la peste a estar estrechamente relacionados con la muerte, la desesperación y la esperanza, siglos después de haber comenzado su morboso trabajo.

# Capítulo 6 - El ecualizador final

Tras el fracaso de la Iglesia para proporcionar una explicación adecuada de la enfermedad que estaba destruyendo tantas vidas, las muertes de personas que estaban en posiciones de alto rango y poder pronto comenzaron a demostrar que el problema no era solo de la gente común. Inicialmente, el problema se explicó fácilmente como algo que solo afectaría a la gente de las ciudades portuarias. Luego se convirtió en un problema para aquellos que fraternizaban con personas con moral comprometida.

Con la progresión del tiempo, pronto se hizo evidente que la enfermedad iba más allá de la comprensión. Altos miembros de la Iglesia sucumbieron a la enfermedad, demostrando que eran corruptos o que la Iglesia no entendía realmente la causa. Los monarcas que reclamaban un derecho divino del pueblo se convirtieron en víctimas, demostrando que no tenían la protección divina que reclamaban para sí mismos. Frente a la plaga, nadie era inmune. Fue uno de los primeros casos de muerte como ecualizador que Europa había experimentado en siglos, y esto fue difícil de aceptar para muchas personas, especialmente porque muchos de ellos eran conscientes de su progresión hacia Europa. No esperaban que llegara a sus tierras, e incluso si lo hacía, creían que sus recursos y su estatus los salvaría.

## Cómo los ricos y poderosos buscaron escapar de lo inevitable

Los ricos y poderosos sintieron que deberían haber sido capaces de escapar de las garras de la peste negra. Con todo su dinero, deberían haber sido capaces de ir a un lugar donde la muerte no los encontrara. El problema era que no existía tal lugar. Para cuando la gente supo que lo había contraído, todos los que estaban a su alrededor podían haber estado expuestos. Incluso si tenían la peste bubónica, la prevalencia de las pulgas y otras plagas dificultaba el escape de la enfermedad. Eso no significaba que no lo intentaran.

El papa Clemente VI mantuvo su lugar en Aviñón lleno de humo para que el aire no oliera a la plaga y cualquier problema potencial asociado con el aire fuera eliminado por el humo. Él era una de las muchas personas que creían que el olor de la plaga podía enfermar a una persona, sin entender que el problema eran las partículas en el aire. El olor del humo no era agradable, pero él creía que evitaría la enfermedad que mataba a tantos. Aunque hoy es obvio que este método no fue la razón por la que no contrajo la enfermedad, fue una forma mucho más progresiva de tratar de evitar la aflicción que algunos de los intentos de otras personas en posiciones de poder.

El método más exitoso fue implementado en unas pocas ciudades selectas por personas que eran aún más previsoras. Las cuarentenas se tratarán en un futuro capítulo porque no fueron implementadas únicamente por los ricos y poderosos. Sin embargo, fueron las personas en posiciones más altas las que fueron capaces de implementar y hacer cumplir el estricto control que evitó que la plaga entrara o saliera de una ciudad o pueblo.

La mayoría de las personas que tenían la capacidad de huir lo hicieron, pero eso no siempre resultó tan bien como esperaban. Una de las mejores representaciones de esta lógica errónea fue descrita siglos después por Edgar Allan Poe. Su cuento corto "La Máscara de la Muerte Roja" se inspiró en la incapacidad de escapar de la peste negra. Su historia es una obra de ficción, pero las ideas y los problemas que la gente enfrenta en la historia reflejan lo mucho que algunas personas trataron de escapar de la muerte solo para descubrir que no había ningún lugar a donde ir. La muerte no se dirigió a ningún tipo de grupo social, clase, género, raza o religión. No podía ser negociada o sobornada. Tratar de huir de ella demostró ser casi tan ineficaz.

## La vergüenza de los derechos divinos

Muchos de los que alcanzaron la corona habían ganado sus posiciones por estar relacionados con alguien que había reclamado el trono por medio de sangre y engaños. Algunos de ellos creían firmemente que su Dios les había ordenado ser gobernantes legítimos debido a su linaje. Una señal obvia de que no creían completamente en esa mentira es la cantidad de luchas internas que ocurrieron a lo largo de los siglos, con miembros de la familia matándose unos a otros para reclamar tronos en toda Europa.

Uno de los problemas que no consideraban como una amenaza a su papel como monarca era la peste negra. Incluso cuando se extendió por toda Europa, muchas personas en los tronos creían que no podía afectarlos. Después de todo, las mayores amenazas a la realeza eran otros miembros de la realeza. La peste negra pronto probaría que había otros aspectos en el mundo que podrían poner en duda la creencia de que cualquier humano fue colocado en un trono por el derecho divino a estar allí. Si su Dios había querido que ellos tuvieran ese papel, se les debería haber permitido continuar en él durante una vida natural (o hasta que un miembro de la familia los matara). Esto ya no estaba garantizado una vez que la plaga comenzó a reclamarlos.

# La muerte de una reina, una princesa y un rey

Las personas que afirmaban tener el derecho divino de gobernar deberían haber sido inmunes a la plaga basándose en sus afirmaciones. La peste negra demostró que esto era una farsa, aunque se necesitarían unos cuantos siglos más para que las clases bajas comenzaran a llamar a la realeza de alguna manera significativa. Lo que hizo fue exponer los problemas fundamentales que la realeza había trabajado tan duro para hacer que la gente olvidara cuando pasaban sus títulos a través de las generaciones.

Aunque los registros no están tan bien preservados, se cree que la peste negra se llevó a miembros de varias familias reales. La reina consorte de Pedro IV, el rey de Aragón, murió, así como una de sus hijas y una de sus sobrinas. Las tres mujeres murieron en un lapso de seis meses.

Sin embargo, una de las muertes más notables fue la de un rey. No se ha documentado mucho sobre Alfonso XI de Castilla, por lo que los historiadores de hoy no tienen mucha información sobre lo que pasó en vida. Nacido en 1311 o 1312 (los registros varían), solo era un niño cuando su padre, Fernando IV de Castilla, murió. Su reino fue gobernado por regentes hasta que se convirtió en adulto en 1325.

Definitivamente hubo varios conflictos militares que ocurrieron durante su reinado. Él creía que había habido un declive en la caballería, y trató de restaurar lo que consideraba un comportamiento adecuado a través de reformas. Trató de hacer varios otros cambios clave a través de la reforma durante su reinado. Algunas de sus reformas fueron populares y consolidaron su poder. Como rey, extendió el alcance de su reino al estrecho de Gibraltar. Esto demostró que podía comandar y controlar sus fuerzas militares. Su hijo, el futuro rey Pedro, sería mucho más despiadado, y para 1350, parecía haber una lucha de poder que crecía en el país.

Entonces el rey cayó enfermo en marzo de 1350. Las fuentes dicen que se había convertido en una víctima más de la peste negra.

## La belleza y el cerebro de Francia

Una de las más desafortunadas bajas de un miembro de la familia real ocurrió en Francia. El rey Felipe VI pasó gran parte de su tiempo luchando en guerras y en otro tipo de campañas, dejando a su esposa para gobernar el país. Su esposa, la reina Juana la Boiteuse, demostró ser más que adecuada en su papel como su reemplazo. Francia no solo se las arregló para sobrevivir sin su rey, sino que parecía prosperar. Ella era más que capaz como regente en su ausencia, y la gente la veía como la verdadera gobernante porque era la que estaba presente para cuidar del país. Entonces, en diciembre de 1349, comenzó a mostrar signos de haber contraído lo impensable. Pero los signos eran claros, y no sobrevivió una semana después de que se presentaran sus síntomas.

Durante el siguiente siglo, la plaga comenzaría de nuevo, y derribaría las líneas reales en toda Europa.

## Dos pájaros de un tiro - La dificultad de cumplir con el papel de Arzobispo de Canterbury

Entre los casos más desconcertantes de lo que se llegaría a percibir como los fallos de la Iglesia fue la muerte de algunos de los miembros del clero de más alto rango. Durante el siglo XIV, Inglaterra seguía siendo parte de la misma iglesia que existía en el continente (Enrique VIII no gobernaría durante casi otros 200 años, y fue durante su reinado que Inglaterra se separó de la Iglesia católica), por lo que el clero inglés era parte de la organización más amplia de la religión cristiana en el continente. La Iglesia había experimentado una gran agitación durante el último siglo, y después de la muerte del último papa (Bonifacio VIII), los franceses habían logrado ganar más poder, quitándole a Roma parte del poder religioso. Por ejemplo, la mayoría de los cardenales que asumieron el poder después de la muerte de Bonifacio VIII eran franceses. Intentaron crear su propia sede religiosa en Francia y colocar al siguiente papa en el Palacio de Aviñón.

La lucha por el poder en la Iglesia era todavía un gran problema durante la década de 1340. Con tantos miembros franceses del clero en el poder, tenían mucha influencia sobre muchas otras naciones. Thomas Bradwardine era un clérigo inglés que viajó a Aviñón para visitar al papa Clemente VI. Bradwardine iba a ser bendecido como Arzobispo de Canterbury. Durante su estancia en Francia, Bradwardine había pasado una cantidad considerable de tiempo viajando a pie y a caballo por todo el país para conocer los lugares de interés y la cultura. Como iba a asumir la mayor posición de poder dentro de la Iglesia en su país, Bradwardine estaba haciendo contactos y conexiones para ayudarle en futuros esfuerzos.

Bradwardine era consciente de que no había sido la primera opción para el papel del Arzobispo de Canterbury. A pesar de que Bradwardine había sido su confesor y consejero cercano, el rey inglés Eduardo III había rechazado su nominación para el puesto. Aunque se desconoce la razón exacta del rechazo de Eduardo a la nominación, es probable que fuera porque era consciente de que sus monjes solo habían hecho la nominación para complacerlo, no porque consideraran que Bradwardine estaba calificado (aunque Bradwardine estaba más que calificado para el puesto). El gesto de rechazar la nominación y en su lugar aprobar a otra persona hizo que el rey pareciera magnánimo. Eduardo III eligió a John Offord, el hombre que encabezaba la administración real. Offord no estaba calificado para el puesto, ciertamente no tan calificado como Bradwardine, así que la elección sorprendió a todos. Aun así, la gente no solía cuestionar al rey como se decía que era nombrado por su Dios. Antes de que pudiera recibir la bendición del papa, Offord contrajo la peste y murió en 1349.

Con Offord muerto, Bradwardine recibió la aprobación del rey y se fue a Francia para recibir la bendición que su predecesor no vivió para recibir. Así como los monjes que habían elegido a Bradwardine no detuvieron la elección de Offord, ahora el papa Clemente VI no podía rechazar a Bradwardine. Esencialmente, los papas tenían que bendecir a quien el rey designara. Así fue como pudieron retener tanto poder a lo largo de los siglos, y dos siglos más tarde, la insistencia de los papas en hacer las cosas a su manera resultaría en una nueva división de la Iglesia. Durante el siglo XIV, aún trabajaban para mantener el equilibrio, así que consagraban a casi cualquier persona que los reyes eligieran. Como el mismo Clemente VI dijo, no importa a quién enviara el rey, aceptaría el nombramiento, aunque el rey eligiera a un asno.

A diferencia de otros hombres elegidos para el más alto cargo religioso en Inglaterra, Bradwardine estaba increíblemente cualificado. En realidad había servido a la Iglesia durante años y sabía cómo se debían hacer las cosas. Es extraño que el papa eligiera burlarse del nombramiento llevando un asno montado por un payaso a la fiesta que seguía a la consagración. En señal de burla, el payaso buscó un nombramiento para el burro para el puesto de arzobispo.

Después de las celebraciones, Bradwardine se fue para volver a Inglaterra. Buscó una audiencia con el rey, como era la tradición del nuevo arzobispo después de su consagración. Dos días después de que llegara en Dover, se fue para comenzar su trabajo en Rochester. La mañana siguiente a su llegada a la diócesis, el nuevo arzobispo de Canterbury enfermó de fiebre. Inicialmente, se pensó que el hombre de 49 años estaba simplemente fatigado por todos sus viajes. Sin embargo, esa tarde, los bubones comenzaron a aparecer, los primeros signos de que el nuevo arzobispo no mantendría su posición por mucho tiempo. Tomó cinco días, pero el 26 de agosto, el nuevo arzobispo sucumbió a la enfermedad que había contraído mientras estaba en Francia.

A pesar de los altos riesgos de mantener un cuerpo contaminado por la plaga en la superficie, muchas de las personas que lo conocían insistieron en que el cuerpo del arzobispo fuera enterrado en Canterbury, donde nunca tuvo la oportunidad de cumplir su papel. Fue un viaje de 20 millas que tuvo que ser hecho usando un carruaje tirado por caballos con un cadáver marcado por la más peligrosa y aterradora enfermedad de la época. Esto demuestra lo bien que lo consideraban sus pares ingleses, sobre todo después de la poco amistosa recepción en Francia. No solo había sido un respetado miembro del clero, sino que también tenía un considerable poder político y era adepto a numerosos aspectos de la política de la isla.

Esto demostró que la enfermedad podía derribar incluso a los más respetados y aparentemente rectos miembros de la Iglesia. Lo que hizo la muerte de Bradwardine aún más devastadora fue que siguió a la muerte de una princesa inglesa. El siguiente capítulo cubre la pérdida que precedió a la trágica muerte del nuevo arzobispo, pero su muerte fue lo que realmente enfatizó lo poco que la Iglesia entendía sobre la enfermedad que estaba matando a la gente en todo el continente.

# Capítulo 7 - Robando el futuro - La princesa Juana

Si bien hubo muchas figuras más grandes que la vida que se convirtieron en víctimas de la peste negra, hubo una persona que sigue siendo un ejemplo de lo cruel que fue la enfermedad. No importaba quién fuera la persona, su estatus social o su edad. Era una enfermedad devastadora que robaría el presente y el futuro de muchas personas. Pocas muertes de figuras poderosas fueron más impactantes y trágicas que la de la princesa Juana de Inglaterra.

La vida de una mujer noble, particularmente una de la familia real, ya era difícil. No se esperaba que trabajasen en el campo como mujeres de otras clases, pero su futuro tampoco era precisamente brillante. Sus padres elegían con quién se casaría. Una vez casadas, su principal propósito era producir herederos para sus maridos. A diferencia de hoy en día, la vida media de una mujer de una posición alta era menor que la de su marido. La mayoría de ellas moriría al dar a luz.

Aun así, el matrimonio arreglado de la hija del rey de Inglaterra era prometedor. El padre de la princesa Juana la amaba, y aunque el matrimonio era definitivamente un movimiento político, parecía que había elegido un príncipe que quería que su hija se sintiera cómoda (por lo menos). Había muchas promesas para el futuro de Inglaterra y Castilla, ya que ambos países planeaban casar a sus hijos. Era una forma más de que la plaga alterara la historia del continente.

## El rey Eduardo III y un mundo en guerra

Para entender mejor el significado del matrimonio arreglado de la princesa Juana, es importante conocer el mundo que su padre creó. La princesa Juana era la hija de uno de los reyes ingleses más notables de la historia europea, el rey Eduardo III. Hijo del rey Eduardo II e Isabel de Francia, no se sabe mucho sobre la infancia de Eduardo después de su nacimiento en 1312. El primer acontecimiento importante de su vida ocurrió en 1327 cuando tenía 14 o 15 años. Su madre y Roger Mortimer (su amante) depusieron con éxito a su padre, instalando a Eduardo III como rey. Juntos, la reina consorte y su amante actuaron como gobernantes porque el nuevo rey era claramente demasiado joven para dirigir un reino. Un año después de ser instalado como rey, Eduardo se casó con Philippa de Hainault. El reinado de los amantes terminó justo tres años después de que tomaran el poder en 1330. El rey Eduardo III tenía ahora 18 años, y como su madre, no tenía miedo de actuar. Mortimer fue ejecutado, y desterró a su madre de su corte.

Eduardo III fue uno de los monarcas más hábiles de su tiempo y durante su larga estancia en el poder. Pertenecía a la Casa de Plantagenet que incluía a muchos de los monarcas más notables de la historia británica. La dinastía descendió de Geoffrey V de Anjou, cuyo hijo, Enrique II, se convirtió en rey de Inglaterra en 1154. La Casa de los Plantagenet duraría hasta 1485, 108 años después de la muerte de Eduardo III. El último de los Plantagenet fue el rey Ricardo III, que fue famoso por convertirse en villano a manos de William Shakespeare, quien trabajó para complacer a los monarcas de su tiempo que pertenecían a la increíblemente memorable Casa de los Tudor. Antes del ascenso de la Casa de Tudor y Enrique

VIII, el rey Eduardo III fue uno de los gobernantes más despiadados y carismáticos de la historia inglesa.

En ese momento, Inglaterra había reclamado tierras en Francia, pero los territorios que pertenecían a Inglaterra eran frecuentemente disputados por el rey de Francia. A los 28 años, el rey Eduardo III comenzó a luchar por las tierras que reclamaba en Francia. Al tomar el título de rey de Francia en 1340, el rey inglés comenzó una de las guerras más infames de la historia europea: la guerra de los Cien Años. Francia, sin embargo, tenía su propio rey, y luchó contra Eduardo III durante los primeros años de la guerra. Esta guerra no fue continua, y hubo años en los que hubo poca o ninguna lucha. Sin embargo, la razón por la que la guerra comenzó no se resolvería hasta más de un siglo después.

Eduardo trajo a su hijo Eduardo, comúnmente conocido como el Príncipe Negro, a Normandía para luchar por sus tierras reclamadas. Tuvieron éxito en expulsar a los franceses de Crecy y luego tomaron la ciudad portuaria de Calais. Su hijo se había ganado su apodo por su armadura, y muchos creían que tenía un corazón negro por su ferocidad dentro y fuera del campo. Sin embargo, el Príncipe Negro nunca llegaría al trono. Moriría alrededor de un año antes que su padre, quien finalmente moriría en 1377.

Eduardo III fue como un azote para muchas de las personas que vivían en la campiña francesa, ya que sus mercenarios y guerreros vagaban frecuentemente y tomaban lo que necesitaban o querían. Sus métodos son ciertamente vistos como crueles y despóticos hoy en día. Sin embargo, durante este período de tiempo, Eduardo III fue visto como uno de los monarcas más caballerosos y constitucionalmente impulsados porque se adhirió a las constituciones que su padre y abuelo habían ayudado a forjar o fueron obligados a aceptar. Dado el hecho de que su padre era un gobernante débil (ya que fue depuesto por su esposa y su amante), Eduardo III ciertamente pudo haber sentido que las cuerdas puestas en su padre podrían haber sido ignoradas. Como gobernante fuerte, no habría sido del todo sorprendente que Eduardo III decidiera ignorar los acuerdos de sus predecesores con el pueblo inglés (particularmente los nobles). Pero no lo hizo, sino que honró esos acuerdos y requisitos casi al pie de la letra. Naturalmente, este rey casi siempre conseguía lo que quería, pero comparado con muchos otros gobernantes de su tiempo, al menos parecía adherirse a las reglas establecidas ante él. Gran parte de la forma en que lo vemos hoy en día puede atribuirse a la evolución en el pensamiento de lo que debe ser un gobernante, y la aplicación de ese pensamiento de forma retroactiva no deja a ningún gobernante con un aspecto particularmente bueno. Habiendo comenzado la guerra de los Cien Años, el rey Eduardo III fue un gran luchador, pero también fue un producto de su tiempo y una dinastía notoria por ser despiadado o inepto. Había muy pocos en la Casa de Plantagenet que no estuvieran en uno u otro extremo del espectro.

Eduardo III tuvo 13 hijos. Con una población de Inglaterra que representaba un tercio de la de Francia, la victoria requeriría algo más que destreza militar; el rey necesitaba aprovechar a sus hijos para hacer alianzas que le ayudaran a mantener lo que había ganado y asegurar futuras campañas exitosas. Su hija, la princesa Juana, fue prometida a Pedro de Castilla, hijo de uno de los monarcas más poderosos de Europa (Alfonso XI) en 1345 cuando tenía solo 11 o 12 años. La alianza habría preparado el escenario para la eventual fusión de Inglaterra, Gales, Francia y Castilla.

Cuando tenía 15 años, la princesa Juana y un gran séquito viajaron desde Inglaterra para casarse con su prometido. Su padre siempre estaba planeando el futuro, y eso incluía planes para su dinastía mucho después de su muerte. Sin embargo, no solo utilizaba a su hija para promover las demandas de su familia, sino que más tarde parecería que realmente amaba a su hija. Es muy posible que tratara a sus hijos mucho mejor de lo que sus padres parecían haberle tratado, y no era el monstruo para ellos que sería considerado por aquellos contra los que luchaba.

## Preparándose para una celebración

El matrimonio de la princesa Juana de 15 años fue visto como un evento significativo y una distracción de la guerra y la peste que había descendido sobre las tierras. Hoy en día, 15 años es ciertamente visto como demasiado joven para el matrimonio, pero era una edad común para el matrimonio durante la Edad Media. Las mujeres de las familias reales raramente sobrevivían a sus maridos, frecuentemente muriendo en el parto o por infecciones después del nacimiento de un hijo. La esperanza de vida de Juana habría sido de unos 30 años, por lo que ya era esencialmente de mediana edad. Dado que el propósito principal de la reina era producir hijos, y que el embarazo era un gran riesgo tanto para las mujeres como para los niños, era importante que una princesa se casara lo más joven posible mientras su cuerpo fuera más resistente y tuviera más tiempo para producir tantos hijos como su cuerpo pudiera soportar.

Sin duda, el matrimonio era un evento calculado para promover el linaje de Eduardo III, pero también era un momento festivo. El rey envió un séquito muy grande con su hija para protegerla y ayudarla a sentirse cómoda al comenzar su nueva vida. Mucho se escribió sobre su viaje desde Portsmouth, Inglaterra, a Burdeos, Francia. Para permitirle a su hija todos los lujos, la procesión incluía una capilla portátil. Esto ayudaría a evitar que se mezclara con la gente más común de las iglesias locales. Sería atendida por el sacerdote más notable de Burdeos, Gerald de Podio. Él se encargaría de todas sus necesidades espirituales antes de la boda. Los juglares la acompañaron, incluyendo al favorito del príncipe Pedro. Había previsto que su juglar favorito ayudara a su futura esposa a conocer mejor la música y las costumbres de sus tierras (su futuro hogar). Esto muestra una interesante conexión en el hecho de que el futuro rey estaba intentando, incluso antes de la boda, crear un futuro mejor para su novia.

Más importante aún, ella tenía una fuerte guardia protectora. Considerando su reputación en algunas partes de Francia y el hecho de que algunas de las regiones donde la comitiva viajaría eran puntos calientes para los criminales, el rey había enviado más de 100 arqueros para acompañar a su hija. Esto incluía hombres que habían luchado con él durante su victoria en Crecy. Incluir a esos guerreros en el cortejo nupcial también habría sido un recordatorio para el rey de Francia de sus propios fallos para que no intentaran atacarlos. Ciertamente habría observado con horror, sabiendo que no podía detener el matrimonio entre sus rivales ingleses y castellanos. Habría sido un día muy oscuro para la monarquía francesa si las cosas hubieran ido de otra manera.

Su vestido de novia era un lujoso vestido de terciopelo rojo. Se añadieron joyas y diamantes al vestido y otras prendas que debía llevar antes de la boda. La riqueza y los bienes enviados con su hija requerían esencialmente su propio barco. Esto sirvió para dos propósitos. Primero, mostraba su propia riqueza a los nuevos suegros. Segundo, era para mostrarle a su hija que la amaba y que no escatimaría en gastos para lo que debería haber sido uno de los días más memorables de su vida.

Todo estaba preparado mientras ella viajaba al sur, donde se iba a celebrar su boda. Cuando su comitiva llegó a Burdeos, todo parecía ir según lo planeado. La futura novia tenía un vestido de novia que sería la envidia de aquellos que lo vieran. Viajaba con comodidad, y la gente que la rodeaba parecía preocuparse honestamente por su bienestar. Desafortunadamente, el momento no pudo ser peor, ya que su comitiva llegó al mismo tiempo que la peste negra llegaba a Burdeos. A pesar de haber sido advertidos a su llegada, la comitiva sintió una falsa sensación de seguridad. Ya sea por su posición o porque Inglaterra no había visto aún los horrores de la plaga, fue una advertencia que debían atender de la cual se enteraron demasiado tarde.

## Una cuestión de tiempo - la celebración se convierte en una tragedia

La princesa llegó con su enorme séquito en agosto de 1348. Ella y tres de sus funcionarios más importantes fueron escoltados por el alcalde, quien trató de hacer que se sintieran lo más cómodos posible. Pasarían su tiempo en el Chateau de l'Ombrière, un castillo que había sido construido por los Plantagenets y que daba al estuario. De pasada, el alcalde mencionó que la peste había estado creando problemas para la gente de Burdeos. Aparentemente alejado del problema, esto fue probablemente visto como una desgracia que no planteaba problemas al séquito de la princesa Juana más allá de quizás causar problemas con la comida u otros detalles menores.

En realidad, la peste negra ya se estaba apoderando de una gran parte de la población de Burdeos. Los cadáveres de las víctimas se apilaban en las calles y cerca de los muelles, creando una escena muy macabra. A pesar de la advertencia del alcalde de que la peste empezaba a ser un problema de mayor importancia, el cortejo de la boda continuó con sus planes. Les pareció de poca importancia que las clases bajas sufrieran porque no se pensaba que la plaga fuera una amenaza directa para ellos.

Desafortunadamente, el castillo estaba cerca de uno de los lugares donde se arrojaban los cadáveres. Las ratas, las plagas y las mascotas se daban un verdadero festín en los muelles y luego muy posiblemente hacían un viaje al castillo para comer lo que encontraban entre las sobras dejadas por la gran fiesta de la boda. Instalados en un área tan cercana a la plaga, el cortejo la boda no tuvo ninguna posibilidad.

Uno de los primeros en enfermar y morir fue su consejero, Robert Bourchier. La princesa Juana probablemente vio con horror como muchos en su séquito empezaron a enfermar, y sus cuerpos se convirtieron en horribles recordatorios de que nadie era inmune. El primer miembro importante de su cortejo murió el 20 de agosto.

Menos de dos semanas después, la propia Juana cayó enferma. Murió el 2 de septiembre, aunque algunos autores sitúan su muerte en el 1 de julio. La noticia fue enviada inmediatamente a su padre, y él se enteró el 1 de octubre de la muerte de su hija y con ella sus planes futuros para su linaje. Su otra hija para llegar a la edad adulta ya había sido casada con un lord inglés para reforzar sus lazos en casa.

Eduardo III tuvo entonces la tarea de hacer saber al rey Alfonso XI de Castilla lo que había sucedido mientras su hija viajaba hacia su nuevo hogar. Su carta aún sobrevive hoy en día y muestra que realmente sintió verdadero dolor por su pérdida, no solo porque había destruido sus planes de futuro. Tan despiadado como era como rey, era un humano (como señala en su carta), y la pérdida de su hija parecía haberle golpeado bastante fuerte. Liberó al rey Alfonso XI del acuerdo matrimonial, permitiéndole encontrar otra novia para su hijo.

Lo que sucedió con el cuerpo de la princesa no está documentado. Dada la magnitud de las muertes causadas por la peste negra, es casi seguro que su cuerpo fue quemado junto con muchas de las otras víctimas. Extrañamente, el cuerpo de Bourchier fue enviado de vuelta a Inglaterra donde fue enterrado. Sin embargo, él fue la primera víctima notable, y el cortejo de la boda debió pensar que tenían el lujo del tiempo. Tal contacto con su cuerpo habría ayudado a extender la plaga dentro del cortejo. Para cuando la princesa murió, la plaga ya había arrasado con la mayoría de ellos, dejando un grupo mucho más pequeño de personas para cuidar su cuerpo. Su padre intentó que su cuerpo fuera llevado a casa. Después de enterarse de la muerte de Juana, Eduardo III pagó mucho más de lo necesario a uno de sus obispos para ir y recuperar su cuerpo para que pudiera ser enterrado cerca de casa. Se desconoce lo que pasó, pero es casi seguro que el obispo no recuperó el cuerpo. El entierro de la princesa habría sido registrado junto con otros eventos notables de la época, pero no hay registros de ello. El obispo pudo haber decidido que era demasiado arriesgado y se escondió durante el tiempo en que se suponía que estaba fuera. Tal vez lo intentó, pero fue comprensiblemente infructuoso. Para cuando el rey le pagó, era finales de octubre, casi dos meses desde que ella había muerto. La gente de Burdeos no habría permitido que un cadáver de la peste permaneciera sin enterrar o sin quemar durante un período tan largo de tiempo de todos modos. Este es el escenario más probable, ya que la ciudad portuaria tomó medidas extremas mientras la plaga seguía cobrándose vidas. De hecho, comenzaron a quemar los cadáveres de las víctimas de la plaga, lo que dio lugar a un incendio que se descontroló y quemó partes importantes de las residencias y hogares cercanos al puerto. Esto incluyó el castillo donde Juana había estado alojada. Para cuando el obispo llegó, no quedaba ningún cuerpo para llevar a casa.

Sin duda, la muerte de la princesa Juana habría sido considerada afortunada por el rey francés. La amenaza de una alianza entre dos de sus mayores rivales fue disuelta, aparentemente por intervención divina. El Príncipe Negro y otros de la línea Plantagenet buscarían tomar partes de España por la fuerza, pero ninguna otra alianza matrimonial tuvo éxito con Castilla.

Para el rey Eduardo III, la amenaza de la plaga se hizo mucho más obvia. Habiendo perdido a su hija por ella, se hizo mucho más consciente de los riesgos potenciales de la enfermedad. Ahora plenamente conscientes de lo devastador y rápido que la enfermedad se cobró vidas, él y el Príncipe Negro dejaron la densamente poblada ciudad de Londres por una pequeña casa en el campo cuando la plaga llegó a Inglaterra. Cuando el Arzobispo de Canterbury murió de la enfermedad al año siguiente, el rey ya era muy consciente de los riesgos y tomaba todas las precauciones posibles para proteger al resto de su familia de los efectos.

La pérdida de su hija también llevaría eventualmente a una comprensión más compasiva de la plaga. El rey Eduardo III tenía un sitio de entierro masivo establecido para las víctimas de la peste negra. Por supuesto, había aspectos prácticos en esto, pero no había muchos gobernantes que trabajaran activamente para proporcionar un lugar de entierro en terrenos consagrados. Solo dos años después de la muerte de Juana, Eduardo III compró y estableció un cementerio de la peste cerca de la Torre de Londres. Luego estableció una capilla que dedicó a la Virgen María.

Este nivel de cuidado podría parecer contrario al despiadado monarca que muchos piensan hoy en día cuando hablan de Eduardo III. Era un monarca de una época muy diferente que seguía reglas muy distintas. Habiendo visto a su padre ser depuesto por su madre, fue más que probable que fuera una marioneta de sus caprichos durante tres años mientras otro hombre asumía el lugar de su padre. Esto indudablemente ayudó a preparar el escenario para el hombre en el que se convertiría. Para 1350, se había establecido con éxito como un poderoso monarca en Europa, pero a un alto costo. La pérdida de su hija se habría sentido en un nivel muy personal y no solo por la política. Aparentemente era mejor padre para sus hijos que su ineficaz padre y su cruel madre. La muerte de Juana le hizo mucho más compasivo con aquellos que sufrieron el mismo destino. Muy consciente de que podría haberse convertido fácilmente en una víctima, o podría haber perdido la vida en cualquiera de sus campañas militares, había mucho que agradecer al rey en ese día de 1350 cuando él y el resto de su familia no cayeron enfermos. La gente que trajo la noticia de su muerte pudo ser portadora, trayendo la plaga literalmente directo a él. Su gratitud por haberse salvado se reduciría considerablemente en los próximos años cuando la plaga pareciera dejar de ser una amenaza, pero ocasionalmente aumentaría el dinero destinado al mantenimiento del cementerio y la capilla que había establecido. Mientras moría en 1377, finalmente cumplió las promesas que había hecho antes para las tierras y estableció servicios dedicados a las víctimas de la plaga, mostrando que mientras moría, la muerte de su hija aún estaba en su mente. Como creía que iría a verla en la próxima vida, quizás sintió que necesitaba cumplir su promesa.

# Capítulo 8 - Declive de la Iglesia católica y el ascenso del misticismo

La creencia inicial en la Iglesia católica comenzó a decaer rápidamente después de que los efectos de la peste negra no mostraran signos de detenerse. A medida que la gente seguía las instrucciones de sus sacerdotes, tenían la esperanza de que las cosas empezaran a mejorar. Era fácil creer que tal vez se habían desviado del camino ordenado por su Dios, por lo que la expiación debería haber resultado en su apaciguamiento.

En lugar de que su mundo se volviera más estable, la plaga continuó extendiéndose. Se movió desde las ciudades costeras y puertos hacia el interior, matando a la gente que vivía en las ciudades que salpicaban el paisaje. El hecho de que su clero local no se salvara hizo que la gente empezara a cuestionar a la Iglesia que los instruía en su vida diaria. Si el clero que servía a su Dios vengativo no se salvaba, entonces el problema claramente iba más allá de los pecados de unas pocas personas.

Entonces, las principales figuras religiosas y políticas comenzaron a sucumbir a la espantosa muerte que se suponía era un castigo para las personas que eran inmorales. Cuando la gente vio morir a importantes figuras que supuestamente habían sido ordenadas por su Dios, quedó claro que la Iglesia no tenía la solución a la peste que se extendía por la tierra. Como ya no podían creer en la Iglesia para producir una causa o solución real para la peste negra, la gente comenzó a buscar las respuestas en otra parte.

## La vida antes de la peste negra

Como se expuso anteriormente, la gente del siglo XIV vivía en gran parte en sociedades agrarias. La tierra era propiedad de los monarcas, la nobleza y el clero. Se asumió que su ascenso al poder era una señal de la aprobación del Dios cristiano. Como la gran mayoría de la población europea luchaba por vivir día a día y era en gran parte inculta, creían lo que decían los de las instancias superiores. Se vieron obligados a participar en guerras para las cuales los plebeyos no ganaban casi nada, y estuvieron sujetos a los caprichos de los dueños de las tierras. Bandidos, merodeadores y mercenarios vagaban por la tierra junto con los recaudadores de impuestos. Todos estos grupos manejaban su comercio a través de la violencia para obtener lo que pensaban que se les debía o merecían.

A través de toda la miseria, la Iglesia proporcionó la esperanza de algo mejor si la gente simplemente vivía de acuerdo a la voluntad de Dios. Si podían soportar la miseria en esta vida, una vida mejor les esperaba. Después de todo, Jesús había prometido que los mansos heredarían la tierra, y no había nadie tan manso como la gente que trabajaba en los campos y administraba el ganado. La promesa de algo mejor era suficiente para ayudarles a ser complacientes. Sus señores les proporcionaron cierta protección, y pudieron alimentarse la mayor parte del tiempo. El hambre, la guerra y las enfermedades ocasionalmente hacían la vida casi insoportable, pero esos incidentes eran típicamente de corta duración, dejando suficiente gente para comenzar a reconstruir la sociedad de nuevo.

A medida que las ciudades crecían, también llegaba la esperanza de una vida mejor antes de la muerte. La gente comenzó a darse cuenta de que había más dinero y oportunidades si se convertían en mercaderes, sirvientes de la nobleza o marineros. Había riesgos, pero normalmente los riesgos no eran mucho peores que los que enfrentaban como agricultores y pastores. Esto atrajo a un número cada vez mayor de personas a las ciudades, dejando algunos de los campos con menos trabajadores. Antes de la peste negra, las cosas se volvían más difíciles para la gente que se aferraba a la forma de vida agraria, pero la vida aún era manejable. Aquellos cuyas familias tuvieron éxito en las ciudades, podían proporcionar mucho más dinero que si se hubieran quedado para ayudar con el trabajo en el campo y con el ganado. Los que estaban dispuestos a arriesgarse a morir en el mar o en el extranjero eran los que más ganaban, y muchos de los hombres de negocios más afortunados o inteligentes pudieron cambiar de clase a medida que crecían las ciudades portuarias. El negocio del comercio ofrecía algo nuevo: bienes que no se habían visto en el continente durante mucho tiempo. Con la migración de personas a estos puertos, había un número creciente de comerciantes, aumentando la demanda de bienes extranjeros.

Sin embargo, la vida seguía siendo difícil. Las condiciones en las ciudades eran terribles (y un gran factor que contribuyó a la fácil propagación de la peste negra). Las prácticas sanitarias habían disminuido sustancialmente en la mayor parte de Europa después de la caída de Roma, y la gente rara vez se bañaba, y sus desechos se desechaban en todos los pueblos y ciudades. La gente se bañaba en cuerpos de agua, y si esos cuerpos se encontraban aguas abajo de donde los pueblos y ciudades estaban desechando los cadáveres de la peste, se estaba exacerbando el problema. Las casas eran pequeñas y no muy seguras, y era difícil vivir en barrios estrechos. La gente siempre había sido enseñada por la Iglesia que si querían planear su futuro en el cielo, tenían que soportar la miseria del aquí y ahora para sembrar mejores recompensas más tarde; en otras palabras, después de su muerte. Ahora tenían la oportunidad de cosechar los beneficios durante su vida en lugar de después de su muerte. Era atractivo, y resistieron la incomodidad y los problemas de las condiciones de vida porque se les prometía algo mejor pronto.

Entonces la peste negra llegó a sus costas, y todo cambió.

## Prestigio perdido

A medida que la plaga entró en Europa y comenzó a extenderse, la gente pudo persuadirse fácilmente de que eran las vidas que vivían las que habían causado el problema. Habían buscado mejorar sus vidas a expensas de esa otra vida después de la muerte, o no habían seguido las enseñanzas de la Iglesia como debían. Habían pecado en sus mentes, si no con sus cuerpos. Todas estas fueron las excusas que la Iglesia dijo que habían causado que la plaga llegara finalmente a sus tierras.

Como pueblos enteros murieron a causa de la plaga, incluyendo miembros del clero, se hizo obvio que la Iglesia no tenía las respuestas. No solo sus explicaciones eran inadecuadas, sino que sus soluciones no hicieron nada para frenar la plaga que se extendía por todo el continente a un ritmo inimaginable. El hecho de que una persona muriera a la semana de contraer la enfermedad significaba que no había tiempo para poner sus vidas en orden antes de morir. El clero buscó salvarse a sí mismo en lugar de ayudar a sus congregaciones. Debido a que temían por sus propias vidas, los sacerdotes comenzaron a negarse a dar la extremaunción a las víctimas de la plaga. Esto habría sido un gran golpe para el pueblo, ya que sus almas inmortales eran su última esperanza de una vida mejor, y ahora se les estaba negando. Incluso los sacerdotes que permanecieron en sus puestos y prestaron los servicios esenciales solo podían proporcionar comodidad temporal.

Para tratar de demostrar que la Iglesia era compasiva con su difícil situación, el papa Clemente VI trató de calmar los temores concediendo la remisión de los pecados a cualquiera que muriera de la peste negra. Una persona que estaba muriendo podía confesarse con otra persona que no fuera miembro del clero para su absolución, incluso si la única persona disponible era una mujer. Aunque ciertamente podría haber tenido un efecto en los primeros días de la plaga, para cuando el papa ofreció este pequeño consuelo, el número de víctimas era asombroso. Dado que la forma en que se manejaba un cuerpo después de la muerte también estaba fuertemente dictada por la Iglesia, los que habían muerto eran absueltos, pero aun así no podían ir al cielo, ya que sus cuerpos no eran manejados adecuadamente. En lugar de enterrar a los individuos con la ceremonia tradicional, las víctimas de la peste eran arrojadas en fosas comunes, que no estaban autorizadas y que iban en contra de las enseñanzas de la Iglesia de un entierro adecuado. La Iglesia no podía ofrecer ninguna solución y no atendía a las preocupaciones de la gente, ya que era imposible enterrar a todas las víctimas en tumbas individuales. No había suficiente clero disponible para las tareas, incluso si todos estuvieran dispuestos. Permanecieron en gran parte silenciosos sobre la práctica de los entierros en masa en lugar de condenar la práctica (como probablemente lo habrían hecho si la plaga no hubiera estado tan extendida).

Temiendo por sus propias vidas, el pueblo siguió utilizando las fosas comunes. Más preocupados por la supervivencia que por una futura existencia, eligieron tratar de librar a los pueblos y ciudades de los muertos. Ignorando las enseñanzas de la Iglesia que habían sido parte integral de sus vidas, la gente sentía que las fosas comunes proporcionaban el mejor medio de supervivencia. La Iglesia ya había demostrado que no tenía ni idea de lo que estaba pasando o de cómo detenerlo, así que la gente no habría escuchado aunque la Iglesia se hubiera pronunciado en contra de la práctica. Para la gente, si la Iglesia se había equivocado tanto con los entierros, había muchos otros aspectos de su fe que cuestionar. Comenzaron a preguntarse qué otras cosas la Iglesia se había equivocado. Por ahora, tenían un problema mucho más apremiante.

Se hizo obvio para la gente que la solución no estaba en la Iglesia que había sido la columna vertebral de su creencia durante siglos. Pero si no era la Iglesia, ¿a dónde irían?

## El aumento de la incertidumbre y las creencias extrañas

El Movimiento Flagelante fue solo uno de los muchos grupos de creencias extrañas que la gente abrazó durante la peste negra. Aunque habían perdido la fe en su Iglesia, la mayoría de la gente todavía creía que la plaga era un castigo de su Dios. Como el clero no podía producir respuestas y soluciones, la gente comenzó a recurrir al misticismo y a medios extraños para satisfacer la venganza de su Dios. Tenían que ganar el perdón por cualquier medio posible.

Dañarse a sí mismo o aceptar un castigo físico era una forma de hacerlo. Apuntar a las minorías y culparlas era otra. Sin embargo, ninguna de estas ideas proporcionaba una causa adecuada para el problema generalizado, ni una solución que obviamente diera resultados. La gente empezó a creer más en la superstición y el fatalismo, lo que creó un conjunto de problemas completamente diferentes. Pequeños grupos de personas que seguían las ideas más apocalípticas del mundo comenzaron a aumentar, pensando que el mundo se estaba acabando.

No todas las personas perdieron la esperanza, creyendo que todo lo que sucedió estaba destinado a suceder. Además de la persecución de la comunidad judía (y en menor medida de otros grupos minoritarios más pequeños), estos pequeños grupos comenzaron a hablar de reformas sociales y cambios mucho más grandes. Dejaron de escuchar las enseñanzas de la Iglesia, así como los decretos de sus monarcas y señores. Como se mencionó anteriormente, algunas figuras trataron de proteger a la población judía, pero el antisemitismo se apoderó fuertemente del pueblo, y esa gente ya no creía en las figuras de autoridad en el poder. Sin embargo, esto se extendió más allá del tratamiento de otras personas. La población que una vez fue complaciente ya no estaba dispuesta a escuchar las palabras de una Iglesia que claramente les había fallado. Hubo un nuevo descontento con su suerte que solo empeoraría en los años siguientes a la ola inicial de la peste negra, ya que la Iglesia continuó fallándoles.

## La Iglesia pierde su camino

Una vez que el miedo a la peste negra comenzó a disminuir, la Iglesia se enfrentó a la tarea de encontrar nuevos sacerdotes para actuar por ellos. Con una población diezmada, tenían muchas menos opciones. Teniendo que seleccionar de un grupo mucho más pequeño, los requisitos para ser un sacerdote u hombre de la Iglesia se relajaron. Los hombres sin educación fueron bienvenidos a la profesión y se les dio una formación mínima para que pudieran salir a ayudar a atender al rebaño que se había perdido durante los años de la plaga. El hecho de que estos hombres claramente sabían menos y eran menos capaces que los sacerdotes y otros clérigos antes de la plaga significaba que la gente estaba menos inclinada a confiar en ellos.

Tal vez lo peor que la gente notó en la Iglesia católica mientras Europa trataba de hacer frente a las consecuencias de la plaga fue que los funcionarios de más alto rango se estaban enriqueciendo. Ciudades enteras fueron arrasadas, y se necesitaba dinero para ayudar a empezar a reconstruirlas. En lugar de poner su dinero en ayudar a la gente, la Iglesia lo estaba acaparando. El clero estaba aprovechando la tragedia para acumular riqueza y centralizar el poder. Este fue quizás uno de los mayores golpes a la Iglesia, ya que un creciente número de personas ya no estaban dispuestas a confiar en ellos como lo habían hecho en los días previos a la peste negra. La Iglesia se había enriquecido con los muertos, lo que iba en contra de todo lo que había enseñado al pueblo. Ahora, la gente empezaba a ver cómo funcionaba la Iglesia porque estaba expuesta a mucha más transparencia de la que había tenido en los siglos anteriores a la plaga.

En última instancia, la peste negra plantó las semillas del descontento con la Iglesia. En lugar de ser vista como un camino hacia la salvación, fue descrita cada vez más como una institución corrupta. Menos de 150 años después, la duda sembrada por la peste negra llegaría a un punto crítico cuando Martín Lutero clavó sus *noventa y cinco tesis* en la puerta de una iglesia, comenzando la Reforma.

# Capítulo 9 - El arte de la peste negra

La peste negra inspiró y destruyó las artes de la época. Debido a que la pandemia tocó las vidas de casi todos en un continente entero, todo el arte de la época reflejó cuán drásticamente cambió sus vidas. La Iglesia perdió una cantidad sustancial de su poder y confianza, y como principal patrocinador de las artes, esto jugó un papel muy importante en el desarrollo del arte durante este tiempo.

## La profunda pérdida de Petrarca

Francesco Petrarca, más conocido como Petrarca, es el poeta más conocido del siglo XIV. Su obra más famosa fue *Il Canzoniere*, y contenía más de 350 poemas. Su influencia en la literatura europea no puede ser exagerada. Su trabajo ha inspirado a muchos de los grandes poetas desde su muerte, incluyendo a Dante y Shakespeare. Sus obras incluían muchos de los temas comunes cubiertos en la poesía, pero fue quizás más conocido por sus poemas de amor a una mujer que vio en la iglesia cuando tenía 23 años, Laura. En sus obras, contempla muchas de las preguntas que los hombres siempre han hecho, preguntas sobre la mortalidad y la fama, pero sus obras también tienen una inclinación bastante filosófica hacia ellas. Muchos poetas han tratado de imitar su estilo, y todavía encuentran inspiración en sus palabras siglos después de su muerte.

Petrarca se hizo definitivamente famoso por su poesía, pero ese no era el propósito de sus obras. Su poesía trataba de sus propios meandros filosóficos y mentales a través del significado de la vida y su profundo amor por Laura. Uno de sus libros incluso terminaba con una poesía de él esperando encontrarse con ella de nuevo después de su muerte. Como filósofo y moralista, sus escritos iban mucho más allá de la poesía, y tenía un interés singular en salvar las obras de los escritores antiguos. Comenzó una inmensa colección de obras de escritores de los mundos antiguos que eran mucho más avanzados que la sociedad europea cristiana de la Edad Media, y tomó muchas de sus ideas a pecho. Para cuando murió en 1374, tenía una de las mayores colecciones privadas de tales obras en el mundo.

Sus filosofías y la valoración de los escritores del pasado influyeron en sus obras, pero Petrarca también se vio afectado personalmente por la peste negra. El amor de su vida y el centro de su poesía, Laura de Noves, murió en Aviñón, Francia, en 1348, una de las muchas que sucumbieron a la enfermedad una vez que llegó a la ciudad. Su poesía durante este tiempo refleja su profunda pérdida personal de una manera que la mayoría de los otros poetas no pueden expresar adecuadamente sus propias penas similares. La mayoría de la gente proclama estar sin palabras cuando tal tragedia personal golpea, pero él encontró las palabras para lamentar cuán significativamente su muerte afectó a su mundo. Petrarca la había visto por primera vez en Aviñón en 1327, pero cuando la peste negra visitó Aviñón, él estaba en Parma, Italia. En su poesía, proclamó "que nada más en esta vida debe complacerme" una vez que se enteró de su muerte e inhumación.

Su hermano, Gherardo, corrió un gran riesgo de morir por la peste negra al llegar al monasterio de Montrieux, Francia, donde vivía. Petrarca le escribió, quizás sin saber que su hermano ya estaba lidiando con los estragos de la enfermedad. Petrarca denuncia la llegada de la peste negra y declara,

> "Lo haría, hermano mío, si nunca hubiera nacido, o al menos hubiera muerto antes de estos tiempos. ¿Cómo va a creer la posteridad que ha habido un tiempo en que sin los relámpagos del cielo o los fuegos de la tierra, sin guerras u otras matanzas visibles, no esta o aquella parte de la tierra, sino casi todo el globo, ha quedado sin habitantes? ¿Cuándo se ha oído o visto algo así? ¿En qué anales se ha leído que las casas quedaron vacías, las ciudades desiertas, las tierras descuidadas, los campos demasiado pequeños para los muertos y una soledad temible y universal en toda la tierra?".

Mientras la mayoría de la gente trataba de comprender lo que estaba sucediendo a su alrededor, Petrarca ya estaba pensando en términos de futuro y cómo se vería afectado. Naturalmente, había habido pestilencia antes a una escala similar, pero Europa había sido en gran parte inmune o la había olvidado completamente. La escala de la muerte esta vez era inimaginable, y parecía no haber un final a la vista.

Afortunadamente, Gherardo sobrevivió a la peste negra que visitó su monasterio. De hecho, él y sus fieles perros fueron los únicos que no murieron cuando la plaga se llevó a los miembros restantes del clero. Esto fue un pequeño alivio para Petrarca en lo que ciertamente habría parecido un evento cataclísmico. También proporcionaría alguna esperanza para el futuro porque no todo estaba perdido.

## Boccaccio y *El Decamerón*

Otro notable escritor de la Edad Media fue Giovanni Boccaccio. Mientras que las obras de Petrarca eran apasionadas y rebosaban de emociones, Boccaccio escribió en un estilo mucho más desapegado y analítico. El lenguaje que usaba seguía siendo artístico, pero había más de un sentimiento objetivo en las cosas que escribía. Petrarca se inspiró para escribir basándose en su propio sentido de pérdida, así como en la pérdida para el futuro. Imaginó lo difícil que sería superar los efectos de la plaga y que nadie comprendería nunca completamente lo que había sucedido, si es que alguien sobrevivía a la plaga.

Boccaccio se inspiró de manera similar en los eventos de la peste negra, pero su obra, *El Decamerón*, se convertiría en un pilar de la literatura de la época. Profundizó en los temas desde un punto de vista más distante, ya que los personajes eran ficticios. Comienza con un grupo de siete hombres y tres mujeres que intentan escapar de la peste negra yendo a una villa en las afueras de la ciudad donde residían.

Aunque el libro en sí es una obra de ficción, contiene probablemente la descripción más infame de lo virulenta y espantosa que fue la plaga. Boccaccio no evitó al lector las descripciones de algunos de los peores elementos de la enfermedad. Describió las ronchas que se formaron, el ennegrecimiento de la piel y la sangre que parecía rezumar de casi todas partes de la víctima. Esta descripción gráfica ha ayudado a los científicos y académicos a entender lo horrible que fue la enfermedad mucho después de la introducción inicial de la plaga en Europa.

Su trabajo tampoco se centra únicamente en los horrores de los efectos físicos en las personas sobre las que escribió. Las primeras partes de *El Decamerón* detallan la enfermedad y el pánico de la gente que la sufrió. Su trabajo describe el sufrimiento y la angustia mental que se apoderó de la ciudad de la que los protagonistas intentarían escapar. Finalmente, su historia proporciona una mirada a cómo el orden social comenzó a fallar y el declive de las tradiciones religiosas cuando la gente comenzó a utilizar los entierros masivos para tratar de sobrevivir.

El comienzo de la historia es muy sombrío antes de entrar en los acontecimientos y las vidas de los personajes principales una vez que escapan de la ciudad. A diferencia de Petrarca, Boccaccio no parecía ser religioso, o al menos no invocaba la religión casi tan a menudo. Como Petrarca declaraba que los humanos se habían traído la peste por sus pecados, Boccaccio parecía tener una mente más secular en sus obras. No se lamentaba de la caída del hombre o de que se hubiera ganado la ira de su Dios. En su lugar, presentó una mirada más científica (y por lo tanto más confiable) a la enfermedad y sus efectos.

Todo esto proporcionó a la posteridad bajo el disfraz de una de las más famosas obras de ficción jamás producidas en Europa.

## Caída del nuevo Movimiento Siena

La peste negra ciertamente inspiró diferentes tipos de arte, pero también lo robó. El Movimiento Siena estaba creciendo en popularidad, y los artistas que formaban parte de este movimiento a mediados del siglo XIV estaban desarrollando nuevos estilos de pintura. Siena, Italia, era una ciudad que comenzaba a crecer rápidamente, y antes de la llegada de la peste negra, atrajo a un gran número de talentosos pintores. Se estaban construyendo y decorando catedrales. El arte de la época comenzaba a reflejar esta nueva fase de la ciudad, un sentido del estilo que era único en la región.

Entonces llegó la peste negra. Había muchos grandes pintores que habían venido a Siena a practicar su arte y a perfeccionar sus técnicas, especialmente Ambrogio y Pietro Lorenzetti. Casi todos los pintores perecerían en la ciudad, víctimas de la plaga. La nueva escuela de arte de Siena se extinguió antes de que pudiera terminar de explorar su potencial.

# Capítulo 10 - La primera cuarentena y la contención exitosa

La peste negra fue la primera pandemia real que golpeó a Europa desde la peste de Justiniano más de cinco siglos antes. La gente no sabía cómo detener lo que parecía un cruel castigo de su Dios porque no recordaban haber experimentado una enfermedad que pudiera matar tan rápidamente y propagarse sin razón aparente. Algunas de las ciudades portuarias habían intentado impedir la entrada de los enfermos, pero no existían leyes o medidas que impidieran que los enfermos se mezclaran con los que aún no habían sido expuestos.

Europa nunca había tenido necesidad de medidas sanitarias de gran alcance o de la aplicación de medidas de seguridad pública antes de la peste negra. Estaban mal equipados para hacer frente a cualquier tipo de pandemia, pero de pronto se vieron obligados a tratar de encontrar formas de reducir al mínimo la exposición. Cuando Italia se dio cuenta de que el problema era de mayor envergadura de lo que habían previsto, comenzaron a aplicar y hacer cumplir las normas con la esperanza de que así se frenara la marea contra un enemigo invisible que había estado ganando la batalla contra los seres humanos desde su llegada.

## Los primeros intentos

Al principio, las ciudades portuarias monitoreaban la llegada de los barcos y los marineros buscando señales por si algo más que carga hubiera llegado con los pasajeros. En marzo del año siguiente a la llegada de la peste negra (1348), comenzaron a obligar a los barcos a partir si se sospechaba que llevaban personas que sufrían de la enfermedad altamente contagiosa.

Este fue un admirable intento temprano de evitar que más gente enferma entrara en los puertos. Sin embargo, no tuvo en cuenta a la gente que ya estaba en la ciudad, ni tampoco a la gente que entraba en los pueblos y ciudades portuarias desde las rutas interiores. Sin embargo, al menos significaba que las personas enfermas no venían del extranjero, reduciendo así las oleadas adicionales de la enfermedad que afectaban a las ciudades a través de la forma más obvia en que podía llegar a la gente.

También existía el problema de que se permitía a los barcos llegar a puerto en otros lugares donde no se realizaban controles. Italia fue el primer país que trató de impedir la entrada de más víctimas de la plaga. De hecho, fue el único país que trató de evitar que los enfermos entraran en sus puertos. Los barcos que rechazaron se trasladaron a puertos de Aragón y Francia, asegurándose de que la plaga infectara a un número mucho mayor de personas. Si se hubiera negado a los barcos la entrada a puertos de otros países, es probable que el número de muertos pudiera haberse reducido considerablemente, aunque también habría sido una sentencia de muerte para todos los que iban a bordo de los barcos.

## Venecia

Venecia fue una de las tres ciudades italianas más afectadas por el comienzo de la plaga (junto con Florencia y Génova). Como el primer lugar donde los historiadores señalan como punto de entrada de la enfermedad, Sicilia también sufrió durante esta época, pero como isla, había más de un mecanismo de contención natural en caso de que la gente decidiera utilizarlo. Desde las tres ciudades principales de Italia, la peste negra avanzó rápidamente hacia el interior, llegando a pueblos y ciudades de todo el continente que estaban muy lejos de aquellos primeros barcos contaminados. Era evidente que las personas que entraban en las ciudades traían la enfermedad consigo, y las personas que huían de los pueblos y ciudades propagaban aún más la enfermedad a zonas que de otro modo no se habrían visto afectadas. Se había determinado que la única manera de sobrevivir era evitar cualquier contacto con los humanos que habían contraído la enfermedad. No eran conscientes de que las plagas también podían contaminarlos, pero la interacción humana seguía siendo un factor importante. Al mantener a los enfermos fuera de las ciudades, sabían que podían bloquear la enfermedad de manera significativa.

Venecia fue una de las primeras ciudades en implementar una cuarentena para prevenir la introducción de marineros enfermos en su ciudad. Al darse cuenta de que no debían permitir la entrada de algunos barcos, cerraron su puerto a toda entrada de barcos sin que se aplicaran primero las medidas adecuadas. Se negó la entrada a cualquier barco que se creyera que transportara pasajeros y marineros contaminados. A todos los barcos a los que se les permitía entrar en la ciudad se les exigía que permanecieran en aislamiento durante 30 días, y también obligaban a los viajeros a permanecer en aislamiento durante 30 días. Teniendo en cuenta el hecho de que una persona que tenía la plaga normalmente moría en una semana, 30 días parecía un tiempo más que suficiente para asegurar que todos los visitantes de la ciudad estuvieran limpios antes de que se les permitiera mezclarse con el resto de la población. Esto demostró ser un método increíblemente eficaz, y uno que llegarían a perfeccionar con cada oleada sucesiva de la plaga que surgió. Con el tiempo, el número de días para la cuarentena se convertiría en 40 días en lugar de 30.

También se estableció un proceso para verificar tanto el punto de origen de un barco como la salud de los que estaban en él. El capitán de un barco recién llegado dejaba el barco en un bote salvavidas y se dirigía a la oficina del magistrado. Se le colocaría en un pequeño recinto donde hablaría a una distancia segura del oficial. Se colocaban cristales y otras protecciones para asegurar que los capitanes que estuvieran enfermos no pudieran pasar la plaga al magistrado de sanidad. Esta medida extra se puso en marcha bajo la errónea creencia de que respirar el aire alrededor de alguien con la plaga lo enfermaría. De una manera vaga, tenían razón, ya que la peste en los pulmones (peste neumónica) puede liberar la contaminación en el aire, y la precaución extra impidió que las partículas y otras formas de contacto contaminaran al magistrado. El capitán también tendría que proporcionar una prueba escrita de dónde había estado su barco y de la salud de su tripulación y de otras personas en su barco (como los pasajeros). También tenía que detallar el lugar de origen de los bienes y artículos que traía a la ciudad. Si se sospechaba que había indicios de la plaga en la tripulación o en la carga, el barco era dirigido a la estación de cuarentena donde permanecería durante 30 días (o 40 días unos pocos años después de la primera cuarentena).

Otras ciudades italianas comenzaron a adoptar esta medida de protección, ya que resultó ser una de las mejores maneras de combatir la enfermedad para la que no se podía encontrar otra causa aparte del contacto humano. Al exigir que las personas permanecieran alejadas de la ciudad hasta que se demostrara que no estaban infectadas, las ciudades pudieron evitar que la peste negra aniquilara a su población. El comercio se ralentizó debido a las medidas para impedir que la peste entrara, pero tras la devastación observada en los primeros meses de la epidemia, fue un intercambio que el pueblo de Venecia, luego toda Italia y después el resto de Europa, estaba dispuesto a realizar para garantizar que la peste no siguiera causando muertes en la misma escala que la primera oleada.

## Esfuerzos sin litoral

Venecia fue la primera ciudad que practicó un tipo de cuarentena, pero lo que aprendieron podría ciertamente aplicarse a las ciudades del interior. Ciertamente sería más desafiante, ya que había muchas maneras de entrar a estas ciudades además de a través de las puertas. Sin embargo, las precauciones redujeron significativamente el riesgo una vez que se aplicaron.

En mayo de 1348, Pistoia (otra ciudad de Italia) comenzó a aplicar medidas similares contra la entrada en su ciudad de nuevas víctimas de la plaga. Los gobernantes también trataron de detener la propagación dentro de la ciudad. Se promulgaron leyes que dictaban la forma en que la gente debía vivir su vida, similares a las que había hecho la Iglesia católica antes del brote, pero con una razón mucho más obvia y consecuencias de mayor alcance. Pusieron regulaciones estrictas sobre cualquier mercancía que se importara y exportara, pero esto no tuvo el efecto que esperaban. Con las regulaciones en vigor sobre las mercancías, la población todavía no estaba a salvo. Se estima que a pesar de las regulaciones, aproximadamente el 70% de la población de Pistoia murió.

Milán había promulgado su propio conjunto de leyes alrededor del mismo tiempo, aunque no eran idénticas. En contraste con las autoridades de Pistoia, las de Milán eran mucho más estrictas. Cuando descubrían que una casa tenía una víctima de la plaga, la casa se sellaba para que nadie pudiera salir, asegurándose de que la plaga no saliera de la casa mientras se condenaba a cualquiera de las personas que habían estado dentro. Esta ciudad se salvó del mismo brote que mató a tantos en Pistoia. Cuando la plaga volvió a aparecer en 1350, la ciudad de Milán había creado un edificio que fue designado como casa de la plaga donde los enfermos de la plaga y cualquiera que los atendiera permanecerían en cuarentena. Este edificio estaba a salvo fuera de los muros de la ciudad para que las víctimas no tuvieran la oportunidad de infectar a la gente dentro de la ciudad.

Italia fue el primer país en implementar y hacer cumplir cualquier tipo de cuarentena durante muchos años después del primer brote. Castilla, Aragón, Francia e Inglaterra fueron dolorosamente lentos en adoptar medidas similares para proteger a su gente. Inglaterra fue tan laxa en su enfoque que sufriría un gran número de víctimas durante la Gran Plaga de 1665. Tenían pocas o ninguna ley en vigor para esa ronda de la plaga, lo que dejó a Londres y al resto del país vulnerable a una enfermedad altamente mortal que estaba siendo efectivamente limitada en Europa continental.

## Cementerios de la peste

Los miembros más astutos de la sociedad comenzaron a darse cuenta de que se podía hacer más con los cadáveres para asegurar que se minimizara el potencial de contaminación. Los primeros cementerios de la plaga se establecieron demasiado tarde para que fueran efectivos, y Venecia sufrió la pérdida de decenas de miles de personas durante la primera oleada de la plaga. Además de las demás medidas de cuarentena que tenían en vigor, dedicaron ciertos cementerios a los entierros masivos de las víctimas de la peste con cada ciclo progresivo de la detestable enfermedad; también se adoptaron más medidas para reducir al mínimo la exposición de los sanos a las víctimas que morían a causa de ella. Los cementerios de la peste se harían populares en gran parte de Europa y, como ya se ha mencionado, Eduardo III, tras la muerte de su hija, dedicó un cementerio para el entierro de las víctimas de la peste. Era quizás la menos efectiva de las cuarentenas, pero proporcionaba a la gente un medio mucho más rápido de deshacerse de los cuerpos que un entierro tradicional. Tampoco creó el tipo de problemas experimentados por Burdeos, donde los intentos de quemar a las víctimas conducían rápidamente a incendios incontrolables. Creó otros problemas, como proporcionar un área dedicada a las ratas y otros animales para encontrar comida, pero no se entendía lo suficiente sobre la enfermedad para que la gente tomara el tipo de acciones que sabemos que se deben tomar hoy en día.

Todos estos ejemplos son algunas de las primeras medidas de salud pública registradas en Europa. En otros lugares se practicaban tipos de controles similares, aunque no en toda Europa. Se necesitó la pérdida de entre un cuarto y la mitad de la población de Europa para que la gente se diera cuenta de que había medidas que podían tomar para retardar o prevenir completamente la exposición. La plaga continuaría regresando a Europa, particularmente durante los veranos (lo que llevó a muchos de los nobles y monarcas a las casas de verano). Italia rápidamente comenzó a tomar el control del problema, limitando el número de personas que se expondrían. Con el tiempo, los demás países seguirían su ejemplo. Como centro del comercio durante los siglos XIV y XV, Italia tenía un gran interés en contener el problema lo antes posible. Fue el primer país de Europa en sufrir los horrores de la peste negra, dándoles una buena razón para preocuparse de que pudiera ocurrir de nuevo. Algunos de sus primeros intentos no tendrían éxito, pero en última instancia las medidas se convertirían en los tipos de cuarentena que muchos países practican hoy en día.

# Capítulo 11 - Más allá del costo humano

El número de víctimas de la peste negra se suele considerar en términos de vidas humanas perdidas porque fue en lo que se centró la gente cuando la plaga se extendió por toda Europa. Lo que es menos recordado son las otras formas en que la peste negra afectó a la gente tanto inmediatamente como en los años siguientes después de la primera ola de la enfermedad.

## Los animales afectados por la plaga

Había dos problemas principales con la peste negra en cuanto a los animales que vivían codo a codo con los humanos. Primero, muchos de los animales eran tan susceptibles de contraer y morir de la enfermedad como los humanos. Segundo, la mayoría de los animales no eran compañeros de las personas, por lo que la pérdida de animales en ese momento agravó el imposible número de muertes al reducir la cantidad de comida y ropa disponible.

## La pérdida de alimentos y protección con la muerte de los animales domésticos

Hoy en día la gente sabe que la enfermedad se propagó al menos en parte por los roedores y las pulgas que llevaban. Sin embargo, lo que a menudo se pasa por alto es que la peste negra no solo se cobró a los seres humanos, sino que también mató a un porcentaje bastante grande de los animales. Este fue un problema muy serio, ya que muchos de los animales comenzaron a morir tan rápido como las personas que los manejaban. Al principio, la gente se preocupaba sobre todo por contraer la enfermedad, pero pronto se dieron cuenta de que también debían preocuparse por sus rebaños y animales.

Esencialmente, todo el ganado era vulnerable a la plaga, así como los animales como los gatos y los perros. La pérdida de gatos y perros más pequeños que mataban a las plagas significó que la población de roedores creció a medida que la peste negra se llevó a los animales que los depredaban. Esto contribuyó a una mayor propagación de la enfermedad porque había menos animales para detener la creciente población de roedores.

Los otros animales que empezaron a morir en cantidades alarmantes fueron ovejas, vacas, cabras, cerdos y pollos. Todos estos animales eran las principales fuentes de alimento. Esto significó que en un momento en que la gente ya estaba combatiendo la propagación de la enfermedad, también se enfrentaba a la posibilidad muy real de la hambruna. A medida que un número creciente de animales de ganado moría, no había ningún plan de contingencia para fuentes de alimentos alternativas para los pueblos y ciudades que estaban lejos del océano y los mares donde abundaba el pescado.

## Escasez de lana

Las ovejas también fueron víctimas de la plaga, y murieron en cantidades alarmantes. Naturalmente, esto era una preocupación en términos de alimentos, pero las ovejas suministraban otra cosa que la gente necesitaba para sobrevivir: lana. Este rebaño particularmente versátil murió en cantidades récord, dejando a los humanos que no murieron de la enfermedad a sucumbir al frío del invierno por falta de abrigo adecuado. Aunque no fue tan sensacional como la pérdida de vidas humanas, la significativa disminución de la población ovina significó que la gente sufriera durante varios años después de que la peste negra se hiciera menos frecuente. No había un número adecuado de ovejas para suministrar la lana necesaria para la ropa, las mantas y otros artículos de uso diario. La escasez de lana afectaría a la población mucho después de que se sintiera a salvo de la propia plaga.

## Escasez de mano de obra

La muerte de tantos animales domésticos fue ciertamente un golpe para la gente de Europa en esta época. Al mismo tiempo, no había suficiente gente para trabajar con los animales o la tierra como se requería para sostener la población que vivía en los pueblos y ciudades. La gente había comenzado a trasladarse a los pueblos y ciudades, y allí murieron en cantidades asombrosas. Aunque las zonas rurales no estaban tan devastadas como las ciudades y pueblos, las áreas donde la plaga visitó típicamente perdieron casi todos los trabajadores que trabajaban la tierra o con los animales.

El resultado fue una escasez de mano de obra que afectaría a toda Europa mucho después de que el miedo a la plaga se hubiera disipado.

Los miembros de la nobleza y los monarcas trataron de atraer a la gente de los pueblos y ciudades de vuelta a las tierras rurales con muy poco éxito. Habiendo visto ya que había poco que ganar trabajando las tierras que pertenecían a otras personas, la población general no estaba interesada en volver a los campos. Se promulgaron leyes para tratar de manejar el problema. Después de todo, había razones prácticas para tener trabajadores —eran esenciales para cultivar los alimentos que se vendían en los pueblos y ciudades. Se ofrecían salarios más altos con la esperanza de atraer a la gente de los pueblos y ciudades para trabajar las tierras y otros servicios. Los mendigos en las calles de la ciudad se redujeron significativamente porque se necesitaba a cualquiera con capacidad de trabajar. Esencialmente, la peste negra había creado un mercado que beneficiaba más al trabajador que a los señores o la nobleza. Esto no era algo que la mayoría de los países habían encontrado antes y proporcionaban a la gente mejores medios que los que tenían antes del brote. Solo se permitía que las personas discapacitadas recibieran algún tipo de limosna o apoyo.

Dado que la mayoría de la gente había tenido dificultades para encontrar un pago adecuado por su trabajo, esto sirvió como una de las pocas cosas buenas que vinieron de los horrores de la década de 1340 a principios de 1350. Proporcionó oportunidades que la población en general probablemente no hubiera tenido de otra manera. Incluso la Iglesia comenzó a contratar a gente no calificada, como se ha mencionado antes. El problema era que muchas de las leyes decían que la gente debía aceptar cualquier trabajo que se le ofreciera, y algunos de los ricos trataron de aprovecharse de esto ofreciendo menores salarios de lo que valía el trabajo, sabiendo que la gente tendría que aceptarlo en lugar de aceptar limosnas basadas en la ley. En general, sin embargo, proporcionaba algo que muchas personas no habrían ganado si la peste negra no hubiera llegado: la oportunidad de obtener una educación o formación en oficios o trabajos más rentables.

## Las guerras se detuvieron

Uno de los resultados más intrigantes (y positivos) de la propagación de la peste negra fue que la gente en el poder tenía algo mucho más apremiante para ocupar su tiempo que tratar de expandir sus imperios a través de medios tradicionales. Por supuesto, hubo gente que trató de expandir su poder o influencia a través de otros medios, pero las guerras casi se detuvieron durante este tiempo. El rey Eduardo III cesó sus ataques a Francia, creando un indulto temporal a los pocos años de la guerra de los Cien Años.

La peste negra tiene la distinción de haber cobrado el mayor número de vidas humanas hasta ese momento en la historia de Europa. Ninguna guerra u otro evento había cobrado tantas vidas, ciertamente no tan rápido como la plaga entró y arrasó un país tras otro.

Inicialmente, los países ignoraron la plaga porque se centró en las ciudades de Italia. Como rápidamente comenzó a extenderse más allá de las fronteras a casi todos los países del continente, las guerras dejaron de librarse casi por completo. Las personas que sobrevivieron a la plaga fueron necesarias para trabajar las tierras, no para hacer guerras. Fue una de las pocas veces en la Europa medieval que los gobernantes permitieron que la paz dictara sus acciones. No era el tipo de paz que nadie querría porque la gente luchaba contra un enemigo que era claramente mucho más letal y extremo que cualquier gobernante, pero aun así fue un cambio notable con respecto a las constantes guerras que aún se asocian con el período de tiempo. La gente piensa que los caballeros y las grandes batallas son un elemento básico de la existencia, sin embargo, durante este período, toda la atención se centró en un tipo de supervivencia completamente diferente.

## Un futuro más fuerte

La mayor parte de las secuelas de la peste negra fueron negativas, pero para los que sobrevivieron, en particular los que habían contraído la plaga pero no murieron, se volvieron mucho más fuertes por la experiencia. Según los estudios realizados en 2014, un hecho que no se detectó tras los estragos de la plaga o de los siglos posteriores fue que las personas que sobrevivieron eran un grupo mucho más saludable y resistente. A pesar de lo horrible que fue la enfermedad, puede servir como prueba de la supervivencia de los más aptos, ya que la población de Europa que era vieja o enferma no sobrevivió. Por supuesto, la enfermedad también mató a muchas personas sanas, pero hubo algunos que no murieron. Esto ayudó a proporcionar cierta inmunidad para futuras oleadas de la enfermedad. Como el número de muertos se redujo y muchas menos víctimas contrajeron la peste negra, la vida de la mayoría de los europeos restantes fue en realidad más larga que antes de que la plaga golpeara.

El estudio se centró en los huesos de las personas en los cementerios de Londres. Según su análisis de los restos humanos, solo alrededor del 10% de la población sobreviviría hasta su 70 cumpleaños antes de la plaga. Tras los estragos de la peste negra, ese porcentaje comenzó a subir, casi duplicándose en el próximo siglo o dos. Los científicos especulan que las personas que murieron a causa de la plaga podrían haber tenido deficiencias genéticas que habrían acortado su vida. Las deficiencias podrían haber variado desde sistemas inmunológicos que no eran tan fuertes como los que lograron sobrevivir a la enfermedad hasta condiciones cardíacas que hicieron que algunas personas fueran menos capaces de combatir la enfermedad. La genética era totalmente desconocida en aquellos días, por lo que la enfermedad habría parecido totalmente aleatoria, pero podría haber actuado como una forma de eliminar a muchos de los que habrían tenido una vida más corta normalmente. Las personas que sobrevivieron pueden haber tenido una composición genética mucho más fuerte que luego se transmitió a sus hijos, hasta la Europa de hoy en día.

# Capítulo 12 - Efectos duraderos en el futuro de Europa

Europa cambió para siempre con la llegada de la peste negra a sus costas. Su gente nunca más miraría a la enfermedad y a la dolencia como eventos aislados, incluso aquellas enfermedades que ocurrieron en lugares lejanos. Había muchas señales de advertencia antes de la llegada de la enfermedad a Europa, pero esas advertencias no fueron escuchadas.

Con la pérdida de entre un cuarto y la mitad de la población europea, fue un golpe devastador para un pueblo que hasta entonces no había sido afectado en gran medida por la enfermedad (que conocemos). Solo China parecía sufrir más profundamente, con una estimación de la mitad de la población muriendo a causa de la plaga. Como lugar de origen de la plaga, es más fácil entender un número tan devastador en China. Para un lugar tan alejado de China como lo estaba Europa, hubo tiempo suficiente para tratar de prevenir o al menos minimizar el problema en caso de que llegara a sus costas.

Se necesitó la pérdida de tantas vidas y la creencia en el sistema para que la gente del continente se diera cuenta de que no era inmune a los problemas que persistían en otras naciones y en otros continentes. Hoy en día, la gente entra en pánico ante la amenaza de un brote, sin importar lo lejos que esté una enfermedad cuando se diagnostica por primera vez. Por ejemplo, el pánico a principios del siglo XXI debido al Ébola fue mucho peor. Aunque la amenaza fue muy exagerada, esto se debe en gran parte a que muchos países habían aprendido a tomar las precauciones necesarias para evitar la propagación de la enfermedad. Nuestros conocimientos actuales pueden vincularse directamente a las experiencias y lecciones que la gente aprendió tras la tragedia de la peste negra. Las medidas sanitarias, como las cuarentenas y las leyes, han asegurado que las enfermedades mortales tengan menos posibilidades de propagarse a una escala similar a la actual.

Esas lecciones también se aprendieron con el perpetuo retorno de la plaga en los próximos siglos en Europa. La población estaba mejor equipada y pocos países volvieron a sufrir en tal medida (con la excepción de Inglaterra, que fue muy lenta en aplicar las protecciones). A partir de las cenizas y la miseria dejadas por la peste negra, los europeos comenzaron a reconstruir sus vidas durante los siguientes siglos.

## La repoblación y el papel de las mujeres

Uno de los mayores retos tras la primera aparición de la peste negra en Europa fue repoblar. Las mujeres reales y nobles ya eran tratadas como madres hasta ese momento. Aquellas que no morían durante el parto eran apartadas para ser amas de casa una vez que superaban su utilidad para que los reyes pudieran continuar procreando. Ahora las mujeres de todos los diferentes niveles de la sociedad tenían un papel adicional, ya que era esencial que se produjeran más niños. Al mismo tiempo, había una escasez de mano de obra, por lo que también tenían que trabajar. Aun así, no se les concedió ningún derecho adicional o respeto por la sociedad patriarcal en la que vivían.

Por supuesto, había algunas mujeres poderosas que eran más que una pareja para sus homólogos masculinos. Estas mujeres no solo tenían hijos, sino que a menudo se enseñoreaban de los hombres de sus familias. La historia tiende a ser particularmente cruel con estas mujeres, pero no eran peores que muchos de sus homólogos masculinos que son típicamente representados de una manera diferente.

A medida que las ciudades y pueblos comenzaron a recuperarse, familias como la de los Médicis comenzaron a ascender a un poder que probablemente no habrían alcanzado si la peste negra no hubiera llegado a las costas europeas. Para la década de 1430, los de' Medici habían pasado de ser banqueros y comerciantes exitosos a ser una de las familias más poderosas de Italia (y de Europa). Fueron una de las familias líderes durante el Renacimiento, y a menudo las mujeres de la familia tenían tanto control como los hombres, aunque no podían ocupar los mismos tipos de cargos oficiales (particularmente en la Iglesia católica).

El constante resurgimiento de la plaga hizo casi imposible que la población se recuperara en las décadas siguientes a la ola inicial. La población tardaría varios siglos en recuperarse, siendo el Renacimiento la primera vez que la población parecía haber vuelto a las mismas cifras que había en Europa cuando entró la peste negra.

## Guerra biológica

Tal vez incluso más aterradora que una enfermedad que no se entiende es la idea de que la gente trató de averiguar cómo usar la enfermedad como arma contra sus enemigos. Es un proceso de pensamiento profundamente desconcertante, particularmente porque la mayoría de la gente vio el valor de detener las guerras mientras la plaga se extendía por Europa.

Sin embargo, esta fue la lección que algunas personas aprendieron de la peste negra. Tal vez inspirados por los registros escritos de de' Mussi, la gente comenzaría más tarde a buscar maneras de convertir la tragedia en un arma.

Hoy en día, la guerra biológica es una de las perspectivas más aterradoras a las que se enfrenta la humanidad. La peste negra ya ha demostrado que una vez liberada, no hay absolutamente ninguna manera de que ningún humano controle la forma en que se propagará una enfermedad. Esto no ha impedido que los países traten de convertir en armas algunas de las peores enfermedades que el mundo ha visto. Aunque se declaró que la viruela fue erradicada, sigue siendo una seria preocupación. La vacunación ha permitido prevenir cualquier propagación natural de la enfermedad (aunque algunos pequeños grupos de la sociedad están luchando y están haciendo posible que la enfermedad regrese a través de los niños y adultos que no están vacunados). Aunque la aparición natural de la enfermedad casi se ha detenido, varios países han encontrado formas de convertir en arma esta enfermedad increíblemente infecciosa y mortal. Fue una de las principales plagas que arrasó grandes porciones del mundo durante más de cientos de años hasta la introducción de la vacuna, y eso fue suficientemente malo sin que se utilizara intencionadamente para matar gente.

Los países vieron la destrucción causada por la enfermedad y decidieron que podía ser igual de devastadora si la convertían en armas. Es evidente que ciertos sectores de la humanidad no son menos bárbaros o indiferentes al dolor y la devastación que podrían causar. Aparentemente, tampoco se molestan en aprender de la historia porque ya hemos visto lo imposible que fue detener la peste negra en los primeros días. Al cambiar una enfermedad tan mortal como la viruela y liberarla en el mundo de hoy, no hay manera de que el país infractor pueda limitar la propagación de la enfermedad. Con aviones y otros medios de transporte eficientes, la liberación de una versión armamentística de cualquier enfermedad es probable que tenga un efecto tan devastador en la población mundial como la peste negra.

La peste negra debe ser recordada por lo que fue: el primer ejemplo del poder de la enfermedad y de cómo la humanidad no tiene nada con lo que combatir una nueva enfermedad. Típicamente, toma años de estudio de una enfermedad para entender completamente cómo interactúa con el cuerpo humano y cómo combatirla mejor. Se supone que las enfermedades como armas son más difíciles de detener y probablemente serían tan trágicas como la primera ola de la peste negra, si no peor.

## El nombre de la peste negra

La gente que experimentó la peste negra no la llamó así. No se sabe exactamente dónde o cuándo se originó el nombre, pero la gente de hoy en día no se refiere a la primera gran pandemia europea como la peste negra.

Los historiadores creen que el nombre era una descripción de lo que la plaga hizo a las víctimas. Con algunas de las personas más renombradas de la época proporcionando pasajes muy descriptivos sobre lo que hizo exactamente la enfermedad (sobre todo Boccaccio), es fácil ver cómo la plaga obtuvo un nombre tan escalofriante. El hecho de que continuara literalmente plagando las naciones de Europa, el Cercano Oriente y el Lejano Oriente durante siglos, las descripciones no eran del todo necesarias porque había constantes recordatorios de lo que la bacteria haría a sus víctimas.

Sin embargo, el nombre de la peste negra (o muerte negra) se relaciona típicamente con los primeros casos de la plaga en Europa y no se utiliza realmente para denotar los casos registrados que ocurren cada año. La gente de la época típicamente llamaba a lo que estaba sucediendo "la peste". Con el tiempo, el pánico y el miedo que inspiraba la enfermedad se desvaneció a medida que la gente aprendía a combatirla. A pesar de ello, ese primer encuentro dejó una grave cicatriz tanto en las personas que lo vivieron como en la conciencia colectiva. Incluso hoy en día, la mención de la peste negra evoca imágenes de uno de los períodos más oscuros de la historia europea. Casi toda la civilización occidental tiene una idea aproximada de cuándo ocurrió y de su terrible balance.

## La peste negra en la literatura y los medios de comunicación

Una forma en que todavía recordamos este tiempo aterrador es en nuestros medios de comunicación e historias. Durante siglos, la civilización occidental ha revisado y revivido la peste negra desde una distancia segura. Hay una curiosidad morbosa sobre ella que aparece en casi todos los medios de comunicación.

Hay muchos sitios en línea dedicados a ella, y debates sobre casi todos los aspectos de la furia de la peste negra en la actualidad, casi 675 años después de que llegara por primera vez a Europa. La gente debate sobre cómo se propagó la enfermedad, discute sobre la probabilidad de que los tártaros lanzaran cuerpos sobre las fortificaciones de Caffa, y discute las consecuencias de la pandemia. Los científicos e investigadores desentierran los cuerpos que una vez aterrorizaron a los supervivientes con la esperanza de proporcionar una imagen más exacta de la enfermedad, las consecuencias y las secuelas.

Quizás la forma más notable en que la peste negra aún afecta a la gente de ascendencia europea es en las obras de ficción. Las imágenes y las historias de esta época han sido contadas, reelaboradas y reimaginadas en todos los medios posibles que usamos hoy en día. Proporcionamos finales más felices para unos pocos personajes afortunados o creamos un mundo alternativo donde el continente no fue tan devastado. Desde los libros hasta la fanfiction y los videojuegos, no hay medio que no proporcione algunos medios para contar esta época oscura.

## Rimas infantiles y otros legados de la peste negra

Las obras de arte que fueron inspiradas por la peste negra han sobrevivido a través de los siglos, y algunas todavía se conocen hoy en día. Las obras de Boccaccio y Petrarca siguen siendo famosas porque proporcionan tanto una perspectiva histórica como una elocuencia literaria que no tiene rival para ninguno de sus pares más tarde en el Renacimiento.

Sin embargo, no hay ninguna obra literaria que haya penetrado en el mundo de habla inglesa como una simple canción infantil.

Aros alrededor de las rosa
Un bolsillo lleno de ramilletes
¡Cenizas! ¡Cenizas!
Nos caemos todos.

Hoy, los niños la cantan tomados de la mano, y luego caen al suelo alegremente mientras cantan la última línea de la rima. Ciertamente parece inocente, pero lo que la rima infantil cuenta es una versión corta de la vida de una víctima de la plaga. El anillo descrito en la primera línea eran los bubones que se formaban indicando que la víctima había sido infectada por la plaga. En este punto, la víctima sería consciente de que muy probablemente solo le quedaran unos pocos días de vida.

La segunda línea se refiere a las flores que la gente llevaba en sus bolsillos con la esperanza de protegerse de la enfermedad. Sin entender exactamente qué causó la plaga, se intentó cualquier cosa con la esperanza de que ofreciera protección. El uso de las flores parece caprichoso, pero en realidad fue visto como una posible protección contra la infección.

La tercera línea puede referirse a varias cosas diferentes. Lugares como la ciudad portuaria de Burdeos intentaron deshacerse de los montones de cadáveres quemándolos. Esto resultó ser una decisión desastrosa, ya que no pudieron controlar el fuego. La mayoría de los lugares optaron por utilizar fosas comunes, ya que se hizo evidente que los entierros individuales serían imposibles, ya que las ciudades, pueblos y aldeas estaban atrapados por la enfermedad. En este caso, las cenizas probablemente son una referencia bíblica. La Biblia del rey Jaime, Génesis 3:19, dice: "Con el sudor de tu rostro comerás el pan hasta que vuelvas a la tierra, porque de ella fuiste tomado; pues polvo eres, y al polvo volverás". Esta línea en particular es un recordatorio de que cuando se enfrenta a la peste negra, todos son iguales. Ninguna persona era demasiado poderosa, rica, religiosa o sabia para escapar de la terrible enfermedad.

La inevitabilidad de la muerte y el sentimiento de que todos serían eventualmente reclamados está representada por la última línea. La risa y las sonrisas que típicamente acompañan a esta línea están en claro contraste con lo que significan las palabras. ¿Pero quién querría privar a los niños de una rima tan pegajosa que pueda poner sonrisas en sus caras?

## La Mascarada de la Muerte Roja

Desde la publicación de *El Decamerón* de Boccaccio, muchos escritores se han propuesto escribir algo que les permita ganar una fracción de la fama y el renombre que él obtuvo con su obra. Solo hay un autor que logró hacer algo remotamente memorable, y vivió aproximadamente 500 años después.

Considerado uno de los maestros modernos de los cuentos, Edgar Allan Poe escribió historias que tendían a ser morbosas. Dada la historia de su vida, es comprensible que se sintiera atraído por el lado más oscuro de la existencia. Tal vez por eso fue capaz de tomar un tema tan complicado y sombrío como la peste negra y crear una obra de ficción que es fácilmente entendida por los lectores más de 150 años después de su muerte.

El nombre de la historia refleja la fuente de inspiración, "La Mascarada de la Muerte Roja". Es una historia bastante corta que comienza de manera similar a la famosa obra de Boccaccio. Poe no pasa mucho tiempo detallando la enfermedad, pero un párrafo es todo lo que necesita para hacer casi imposible que se pierda que la peste roja de la historia es una referencia directa a la peste negra:

> "Ninguna peste había sido nunca tan fatal, o tan horrible. La sangre era su Avatar y su sello –la locura y el horror de la sangre. Había dolores agudos, y mareos repentinos, y luego un sangrado profuso en los poros, con disolución. Las manchas escarlatas en el cuerpo y especialmente en la cara de la víctima, eran la prohibición de la peste que le impedía recibir ayuda y la simpatía de sus compañeros. Y todo el ataque, el progreso y la terminación de la enfermedad, fueron incidentes de media hora".

Obviamente, la plaga no mató a la gente en media hora, pero la licencia poética de Poe resalta lo imposible que fue la enfermedad. La mayoría de las enfermedades matan a la gente lentamente, como el cáncer y la tuberculosis. En comparación, parecía que la plaga mataba en un abrir y cerrar de ojos.

La historia sigue después al Príncipe Próspero que huyó de la ciudad y de la miseria de la Muerte Roja junto con sus amigos. Buscaban esperar a que la enfermedad se extendiera en un lugar remoto donde pensaban que serían inmunes a los estragos de la misma. La historia es decididamente de Poe, y termina como cualquiera que esté familiarizado con su estilo típico: esperaría la muerte.

Los paralelismos entre lo que sucede en su historia corta es más bien un recuento moderno de los eventos de uno de los períodos más oscuros de la historia europea. Trae los horrores y el miedo a un escenario más moderno, aunque definitivamente está ambientado en el pasado (incluso para la época en que fue escrito, el escenario era de una época anterior).

Su historia concluye con lo que la mayoría de Europa reconoció como resultado de la peste negra. No fue fácil escapar de la plaga. Ninguna cantidad de riqueza, privilegio o poder podía salvar a una persona. La historia no es exactamente un recordatorio gentil, pero sirve para ayudar a recordar a la gente que nadie puede escapar, convirtiéndola más bien en una obra de ficción para la población en general durante otro período de tiempo en el que el mundo se enfrentaba a tiempos oscuros.

Aún más importante, las personas que leen esta historia de 150 años de antigüedad todavía pueden decir que se refiere a los acontecimientos de hace casi 675 años. Es un testimonio de cuánto afectó la peste negra a las mentes colectivas de la civilización occidental.

# Conclusión

Varios años antes de que la plaga llegara a las costas de Europa, hubo rumores y advertencias sobre lo devastador de la enfermedad. Antes de 1348, Europa no tenía memoria colectiva de una enfermedad que englobaba a todo el continente. Hasta entonces, las enfermedades tendían a limitarse a unas pocas regiones y se consideraban un problema que debía ser manejado por los que estaban al mando en las regiones afectadas.

La peste negra fue el primer caso de pandemia en toda Europa desde la caída del Imperio romano. Al principio se consideró un problema para Italia, pero tanto la rapidez con que mataba a los que la contraían como la rapidez con que se propagaba hicieron que pronto se convirtiera en un problema para todo el continente. A medida que la gente intentaba huir de las zonas donde la enfermedad prevalecía una vez que llegaba a una ciudad, y no se conocía la cura.

La peste negra cambió completamente la dinámica de poder en el continente. Las guerras cesaron mientras las naciones luchaban por encontrar una forma de minimizar el problema. Era un destino sombrío que nadie podía comprender.

La gente recurrió a la religión que había dictado gran parte de sus vidas hasta ese momento. Sin embargo, los clérigos estaban tan perdidos como el pueblo, y solo podían ofrecer el mismo tipo de soluciones que tenían para todo lo demás. Era un castigo de su Dios, y solo la oración y el arrepentimiento lo detendrían. Esto demostró rápidamente cuán equivocados estaban, ya que los ricos, poderosos y el clero murieron en el mismo número que los de la gente común.

Todo lo que la gente había conocido se puso en duda, pero no hubo tiempo para reflexionar realmente sobre cómo resolver las cosas porque la supervivencia se convirtió en el único desafío que tuvieron tiempo de enfrentar. Algunos se volvieron hacia sus peores impulsos, usando a la población judía como chivos expiatorios. Otros trataron de encontrar una solución que estuviera de acuerdo con su fe. Pocos países se salvaron de la enfermedad, y ninguna clase social, raza, edad o género se salvaron de sus estragos. Los escritos de dos de los más famosos autores de la Edad Media arrojan luz sobre la vida cotidiana de las personas que experimentaron la enfermedad. Hoy en día, estos trabajos todavía se estudian para comprender las dificultades que enfrentaron.

Hubo muchas consecuencias duraderas de la enfermedad, desde la escasez de gente para trabajar hasta la escasez de alimentos y de lana. A medida que la peste negra parecía desaparecer, la gente se vio obligada a lidiar con las secuelas y a tratar de reconstruir sus vidas. Las secuelas incluían algunos aspectos positivos, algunos de los cuales no se dieron cuenta hasta siglos más tarde. El lado positivo de tales nubes de tormenta monstruosas fue casi imposible de ver durante los años que rodearon los eventos. Solo a través de la distancia del tiempo podemos apreciar más plenamente cómo cambió positivamente las rígidas estructuras sociales e inspiró a la gente a pensar por sí misma. Tomaría varios siglos más para que estas lecciones y cambios se afianzaran plenamente, pero el Renacimiento es en parte el resultado de la forma en que el pensamiento comenzó a cambiar en el continente.

Sin embargo, no importa cuánto tiempo pase, este espantoso momento de la historia europea no ha desaparecido de la conciencia social. Sigue siendo un tema que es ferozmente debatido y estudiado. La peste negra nunca dejó de inspirar todo tipo de arte, ya que la gente sigue tratando de entender lo calamitoso que fue para las personas desprevenidas que la soportaron. Cuando todo terminó, la mayoría de los historiadores estiman que se llevó al menos un tercio de la población europea. Algo tan devastador seguramente dejaría una marca indeleble en la memoria de todos los descendientes de los sobrevivientes. Nuestras obras de arte de hoy prueban que aún viven en nuestras memorias, dando forma a nuestras vidas casi 700 años después.

Vea más libros escritos por Captivating History

# Bibliografía

Biological Warfare at the 1346 Siege of Caffa, Wheelis, M. (2002), *Emerging Infectious Diseases, 8*(9), 971-975.
Black Death Survivors and Their Descendants Went on to Live Longer. Pappas, S., May 8, 2014, Scientific American.
Black Death: Pandemic, Medieval Europe. *Encyclopedia Britannica*
Black Death. September 17, 2010, A&E Television.
Castilian Military Reform under the Reign of Alphonso XI, Clifford J. Rogers & Kelly DeVries.
Doctors of the Black Death, October 11, Jackie Rosenhek, Doctor's Review, Parkhurst.
Francesco Petrarca, September 2004, Yale University, Beinick Rare Book & Manuscript Library
In the Wake of The Plague: The Black Death & The World It Made, Norms F, Cantor, Simon & Schuster Paperbacks, New York 2001.
King James Bible, *Genesis 3:19.*
Labour after the Black Death. Lis, C. and H. Soly, "Labour Laws in Western Europe, 13th-16th Centuries", *Working on Labor*, 2012, pp. 299-321.

Lessons from the History of Quarantine, from Plague to Influenza A, Tognotti, E. (2013). Lessons from the History of Quarantine, from Plague to Influenza A. *Emerging Infectious Diseases, 19*(2), 254-
259. https://dx.doi.org/10.3201/eid1902.120312.
Masquerade of the Black Death, 25, 2017, Toni Mount, August, History Answers, Future Publishing Inc.
"The Masquerade of the Red Death", Poe, E. A, 1842.
Petrarch on the Plague, February 18, 2010, Decameron Web.
Plague in the United States, November 17, 2018, U.S. Department of Health & Human Services.
Plague, October 31, 2017, World Health Organization.
Plague. 2015-2019 National Geographic, LLC.
Plague. November 17, 2018, U.S. Department of Health & Human Services.
The Black Death 1348, 2001, Eye Witness to History, Ibis Communications, Inc.
The Black Death, by Charles River Editors: The History and Legacy of the Middle Ages' Deadliest Plague, Charles River Editors, November 2, 2018San Bernardino CA, USA.
The Black Death, December 11, 2008, Church Influence on Society.
The Black Death, Philip Ziegler, Harper Torchbooks Harper & Row Publishers, New York.
The Black Death: And early Public Health Measures, 1999 - 2005, Brought to Life Science Museum
The Black Death. Horrox R, ed., Manchester: Manchester University Press; 1994. p. 14–2.
The Catholic Church and the Black Death in the 14th Century, 2018, Ivy Panda, Essay Samples.
The History of Plague – Part 1. The Three Great Pandemics. John Firth, JMVH 2019.
The Medici Family. November 9, 2009, History.com.

The Poe Museum, poemuseum.org.
The Threat: Smallpox. Center for Disease Control and Prevention, December 19, 2016.
What is a Pandemic? World Health Organization, February 24, 2010.
What is The Plague? 2005-2018, WEDMLLC.
#203 Vida de Carlomagno, 2019, Instituto de Historia Cristiana, christianhistoryinstitute.org
6 Razones por las cuales la Edad Oscura no fue tan Oscura , Sarah Pruitt, August 20, 2018, Historia, https://www.history.com
Una Guía del Renacimiento Para Principiantes : Robert Wilde, April 15, 2018, ThoughtCo, www.thoughtco.com
Una Historia Corta sobre los Vikingos, Philip Parker y Tom Holland, History Extra, 2016, https://www.historyextra.com
Una Historia Corta sobre Venecia, Italia, Tim Lambert, Local Histories, http://www.localhistories.org
Una Historia corta del Califato: 632 d.C - Present, History Hit, última edición febrero 19, 2019, https://www.historyhit.com.
Alfredo el Grande (849 d.C - 899 d.C), BBC: History, http://www.bbc.co.uk/history
Alfredo: Rey de Wessex, Dorothy Whitelock, Enciclopedia Británica, última Edición enero 1, 2019, www.britannica.com
Arianismo, Enciclopedia Británica, última Edición octubre 9, 2015, www.britannica.com
Tour de Batallas , Tony Bunting, Enciclopedia Británica, última edición marzo 28, 2017, www.britannica.com
Conferencia Bizantina: Emperadores Famosos Emperadores Famosos, marzo 13, 2019, http://www.byzconf.org

El Imperio Bizantino: Eurasia, El Imperio Histórico : John L. Terall, febrero 8 2019, Enciclopedia Británica, www.britannica.com
El Imperio Bizantino: Mark Cartwright, septiembre 19 2018, Enciclopedia de la Historia Antigua, www.ancient.eu/Byzantine_Empire/
Califato, Asma Afsaruddin, Enciclopedia Británica, última edición enero 18, 2019, www.britannica.com
Carlomagno, 2014, BBC, http://www.bbc.co.uk
Las Reformas de Carlomagno, Lumen Learning, https://courses.lumenlearning.com
El Cristianismo en el Imperio Romano, Khan Academy, https://www.khanacademy.org
Navidades, Hans J. Hillerbrand, Enciclopedia Británica, última edición febrero 8, 2019, www.britannica.com
La Caída de Roma: Cómo, Cuando y por Qué sucedió, N.S. Gill, ThoughtCo, Enero 14, 2019, www.thoughtco.com/
La Caída de Roma: Cómo, Cuando, y por qué sucedió, N.S. Gill, ThoughtCo, febrero 19, 2018, www.thoughtco.com/
La Caída del Imperio Romano Occidental: Donald L. Wasson, April 12, 2018, Enciclopedia Limitada de Historia Antigua, www.ancient.eu
Historia: La Caída de Roma: Dr. Peter Hether, febrero 17, 2011, BBC, www.bbc.co.uk
El Emperador del Imperio Sacro Romano Otón I: Melissa Snell, febrero 16 2019, Though Co, www.thoughtco.com
Leo III fus atacado en una Procesión, Dan Graves, 2019, JupiterImages Co, www.christianity.com
Lombardos, Joshua J. Mark, diciembre 6, 2014, Enciclopedia de Historia Antigua, https://www.ancient.eu
Louis I, John Contreni, Enciclopedia Británica, Ultima Edición abril 12, 2019, www.britannica.com

Invasiones Musulmanas de Europa Occidental: El Tour de las 732 Batallas, Kennedy Hickman,
Limited, www.ancient.eu
Otón 1: Medieval Chronicles, 2014-2019, www.medievalchronicles.com.
Otón I: Enciclopedia Biográfica del Mundo, 2004, The Gale Group Inc.
Petrarca: El Poeta Italiano , John Humphreys Whitfield, Enciclopedia Británica, última Edición Julio 16, 2018, www.britannica.com
Resurgimiento y caída de los imperios Romano, Otomano y Bizantino: Christopher Muscato, 2003-2019, study.com
Rurik y la fundación de Rus', ER Services: Western Civilization, https://courses.lumenlearning.com/suny-hccc-worldhistory/
Rurik La Dinastía, Enciclopedia Británica, última edición abril 11, 2016, www.britannica.com
Sellos de los Profetas, Respondiendo al islam, https://www.answering-islam.org/Index/index.html
La Controversia Ariana y el concilio de Nicea, N. S. Gill, última edición May 22, 2019, Thought Co., https://www.thoughtco.com
La Iglesia Católica, Lumen Learning, https://courses.lumenlearning.com
Los Lombardos: Una Tribu germanica en el Norte de Italia, Melissa Snell, última edición marzo 15, 2018, Thought Co., https://www.thoughtco.com
El Origen Pagano de la Pascua , Joanna Gillan, abril 18, 2019, Orígenes Antiguos, https://www.ancient-origins.net
The Surgimiento de los Estados y del Imperio Islamico , Khan Academy, https://www.khanacademy.org
La Propagación del Islam, Oxford Islamic Studies Online, http://www.oxfordislamicstudies.com

El Tratado de Verdun, Melissa Snell, ThoughtCo, October 21, 2018, www.thoughtco.com/
Línea de tiempo de la Edad Media, Simon Newman, *The Finer Times.*
El Tratado de Verdun, Enciclopedia Británica, última edición agosto 20, 2019, www.britannica.com
Historia de Venecia, Roberto Cessi y John Foot, Enciclopedia Británica, www.britannica.com
Historia de los Vikingos: Una visión sobre la cultura y la Historia de la Era Vikinga, Salem Media, History on the Net, última edición junio 5, 2019, https://www.historyonthenet.com
¿Quién es en realidad el último Emperador Romano?, Ken Lohatenpanot, agosto 17 2013, History Republic, historyrepublic.wordpress.com
La Historia del Mundo 800-900 dC, Historia Central, https://www.historycentral.com